YOUR THREE-YEAR-OLD

——FRIEND OR ENEMY——

Published by arrangement with Delacorte Press,
an imprint of Dell Publishing,
a division of Bantam Doubleday Dell Publishing Group, Inc.,
New York, N.Y., 10103, U.S.A.
in association with
Bardon Far Eastern Agents, Ltd.

中文版授權 信誼基金出版社 出版發行

你的3歲孩子

亦敵亦友的年齡

Louise Bates Ames
Frances L. Ilg 原著

信誼基金出版社

前言

「信誼基金會」成立於民國六十年九月，由永豐餘企業集團創始人何傳（字信誼）先生所捐資創立。由於有感於學前兒童教育的重要，以及我國相關研究資料的缺乏，風氣有待推進，乃於民國六十六年九月設立「學前教育研究發展中心」，希望藉此喚起國內人士對學前教育的關注、重視，建立學前教育的正確觀念。

民國八十三年二月起，「學前教育研究發展中心」擴展為「兒童教育研究發展中心」，希望擴大組織功能及服務對象——由學前兒童至學齡兒童，更期增進對社會之影響層面，並為我國兒童創造更大福祉。

我們深信：凡是有助於兒童身心發展及福祉的工作，都值得全力以赴。

自七十一年五月起，我們陸續將刊載於《學前教育月刊》上的專欄文章作有系統的整理和補充，結集為「學前教育叢書」。這一系列由國人創作的叢書，刻畫了我國學前教育史的一段軌跡。

同時，因為學前教育觀念的推廣和社會變遷對親職的挑戰，年輕一代的父母越加殷切地想扮演好「父母的角色」。從七十五年起，我們更積極開發屬於學前教

育叢書的「翻譯系列」，引進優良的親職教育著作，介紹新的教育觀念。

我們常說：「愛他，就要瞭解他」。作父母的你，肯定是愛孩子的，但是，面對每一個階段變化多端的孩子，你瞭解他多少呢？俗語說：「知己知彼，百戰百勝」，為了幫助父母更瞭解孩子，我們特地精心挑選原著，翻譯出版《你的零歲孩子》～《你的青少年孩子》一系列從兒童到青少年發展叢書，希望這樣一系列專門針對孩子發展特質和能力來探討的書，能幫助所有愛孩子的父母，進一步去了解孩子、欣賞孩子。

信誼基金會兒童教育研究發展中心　謹誌

原作者序

「孩子在幾歲的時候，應該有怎樣的發展和行為呢？」

提供這一類的標準規範，有時令父母覺得安心，有時卻又令父母憂懼不安。不過，我們仍然發現，大部分的父母多少還是希望知道，孩子在某個年齡階段可以對他有什麼樣的期待。尤其當孩子正處於麻煩、困難的階段時，如果知道別的小孩也都如此，知道某些行為只是暫時性的，便會寬心不少。

吉塞爾兒童發展中心成立已有四十多年了，在阿諾．吉塞爾博士的指導之下，我們在耶魯大學從事兒童行為的觀察與研究。我們的研究對象包括了數以千計的小男孩和小女孩，而所有的研究都使我們相信，人類行為的發展事實上是有一定的模式可循的。因此，我們可以清楚地預測每一個階段中，孩子在動作、語言、社會行為和情緒發展等各方面的特色和表現。換句話說，我們可以很正確地預測百分之八十的孩子在發展上將經驗的歷程。

當然，每一個孩子都是獨一無二的，沒有一個孩子足以代表所有的孩子。因此，當我們告訴你說「四歲是狂野而美妙、五歲是開朗而愉悅、六歲又是另一回事」時，千萬不要誤會，以為任何一個小孩到了那個年齡，「就會」或是「就應該」恰如我們所描述的那個樣子。

有些小孩發展比我們所描述的快；有些小孩則發展得較慢；當然，也有很多小孩發展和我們所描述的不謀而合。除了發展上有快慢的不同外，連穩定性也有程度上的差異。有些小孩在每一個階段都適應得很好，很容易相處；有些小孩則不論父母多麼費心，卻總是問題多多。

有些孩子在各方面的發展都很平均，不論在動作、學習或語言各方面，發展都很一致，也許一起都慢了，也許都快了，或者是不疾也不徐。有些小孩的發展是混合型的，可能語言能力發展得快，動作方面卻落後許多。

在本書中，我們會一一描述孩子各種不同的發展，為了不讓讀者擔心，我們在此再強調一次：本書所描述的一切行為都是指一般而言，是概括式的，是我們研究過許許多多兒童後的歸納所得。也許，我們可以把本書比喻成一張地圖，提供你計畫旅行的參考，我們可以告訴你，路程的遠近、那個城市的情形，但無法

告訴你，你的旅遊情形將如何。你也許比一般的遊客匆忙，疾駛而過；也許悠遊漫步；甚至可能開倒車也說不定。這一切絕非一張地圖所能道盡，地圖不過是指明了地理位置而已，不能告訴你走什麼路或該怎麼走。

不過，很多為人父母的也覺得我們所提供的「兒童行為發展圖」妙用無窮。因此，如果你喜歡，不妨參考我們所提供的圖，也許你也會像許多人一樣，覺得它有用。但是，千萬不要拿你的孩子的發展情形來和我們所描述的一般情況做比較，因而對小孩或我們研究的結果，產生不當的評價。

請記住，每一個小孩都是獨一無二的。我們希望這本書只是個指引，幫助你更進一步去了解、欣賞孩子的所作所為。

Louise Bates Ames
Frances L. Ilg

譯者序

我還記得去年小女兒上小班的情景。由於親友都不在北部，自己是個職業婦女，周末假日又懶得往人群裏跑，生活的圈子實在大不起來。孩子受了這種生活方式的影響，缺少了與其他孩子相處的經驗，因此，在開學的前一天晚上，我竟然緊張得失眠了。「欣欣會哭嗎？」「她聽懂老師的話嗎？」「她會說：『我不要進教室』嗎？」雖然一個多月以來，我已經為她做好了心理準備，但是，一個三歲孩子的承諾，是沒有保障的。

第一個上學的早上，在我緊握的拳頭裏過去了，欣欣雖然不像其他的小朋友那麼地活潑，但是在一個陌生的環境裏，她並沒有像我想像中那麼地惶恐不安。在二、三十個孩子當中，也只有兩、三個孩子哭著要媽媽陪的。就這樣，欣欣開始參與團體活動了。

在最初的一個月，她很少談及學校的生活。每當我問她：「今天做了什麼事？」她的回答也多半是：「不知道。」不過漸漸地，小朋友的名字出現在她的

話裏；也會哼唱幾首新學的歌曲。她每天盼望著上學的時刻來臨，生活顯然和諧和愉快。

就在聖誕節前後，有一個早上，天氣好冷，梳洗過後，我正幫她換掉睡衣，她突然決定要自己選上學的衣服——一件秋天的洋裝。當我說「不行」時，她一反常態地大哭起來。無論我如何勸慰，她都不肯妥協。我一方面只好讓她穿去上學，一方面也為這種行為的改變而煩惱。好像從那個早上起，我們的關係進入了「惡化期」。每一天睜開眼睛，就是一場拉鋸戰的開始。從前她最喜歡的食物，變成食不知味；她最拿手的雙腳跳房子遊戲，也常常在無意中跌跤。她比以前更常哭鬧，這個不好玩；那本不好看；被子太熱；床太小。舉凡與她有關的東西，都成為使她不悅的導火線。

欣欣不只與外物產生「糾紛」，從一些生活的習慣裏，我也發現她與自己的掙扎。我記得有天早晨起床後，她充滿懶意地對我說：「我不想當人。」我嚇了一跳，問她為什麼。她理直氣壯地對我說：「你看，我們家的小狗都不必刷牙。」「刷牙事件」成為每天起床後的第一齣戲。我看她下定決心地走入浴室，拿起牙刷，然後用力一丟，又伊伊嗯嗯地賴到床上，嘴裏喃喃地念著：「我不要刷牙，

我最討厭刷牙。」

「我不想上學。」我預料中的事終於發生了。

「上學有什麼用？還不是玩，在家也可以玩啊！」

「好吧！那我打電話向老師請假。」

過了兩天，她改變主意了。「在家好無聊，我還是去上學吧！但是，你得在家等我回來喔！」就這樣一句話，她把自己的問題解決了。

幸好，彆扭的日子也有結束的時候。在小班即將結束的時候，欣欣又恢復了快樂的樣子。當我瞧見她一天從嬉笑聲開始，我就知道，那段「黑暗時期」已經過去，我可以較輕鬆、有效地與她溝通了。

現在，欣欣每天精力充沛地遊戲著，統整和平衡是目前她身心最大的特色。如果依照本書作者伊爾格（Ilg）和愛姆斯（Ames）的觀察，我還會有一段和平的日子。

回想女兒三歲時的種種，也剛好印證兒童發展學家的觀察。當然，預測和實際上總是會有一些差異，但最重要的是，讓家長了解幼兒身心發展的特質。在那周期性的和一再反覆的好、壞循環中，家長若是預先有了心理上的準備，就能不

緊張地來處理孩子因發展特徵所帶來的行為困擾。

發展是有規律、有程序的。吉塞爾兒童發展中心的這一套書，的確能讓學前兒童的家長，更進一步地了解自己的孩子。

游淑芬

民國七十五年十二月

目錄

前言……5
原作者序……7
譯者序……11
第一章 三歲孩子的身心發展特質……21
■三歲——快樂而友善的年齡
■三歲半到四歲之間
■給父母的提醒
第二章 同儕關係……35
■三歲
■三歲半
■兄弟姊妹

第三章　與三歲孩子相處的技巧……49

■了解與接納他的兩大技巧

■使生活愉快的十三個技巧

■合理且一致的管教方式

■給父母的提醒

第四章　能力表現……65

■三歲～三歲半

動作方面

視覺方面

協調適應方面

遊戲方面

閱讀方面

音樂方面

金錢概念方面
電視方面
語言方面
與他人交談方面
其他行為方面
■三歲半～四歲
動作方面
視覺方面
協調適應方面
語言方面
與他人交談方面
其他行為方面
第五章 三歲孩子的慶生會 …… 97

■成功之鑰
■節目安排
■費用
■注意事項
第六章　生活常規……105
■飲食
■睡眠
■午睡
■大小便
■洗澡
■穿脫衣服
■情緒的發洩
第七章　心智能力……121

■時間概念
■空間概念
■數概念
■幽默感
■編說故事能力
■一般創造力
第八章 個別差異……137
■動機與體力
■注意力
■自主性
■適應力
■動作的快慢
■要求完美

■自我認識
■排行
■性別
■給父母的提醒
第九章 真實的故事……153
第十章 結語……185
《附錄》適合三歲小孩的玩具……189

第一章 三歲孩子的身心發展特質

人類的行為，有如潮汐的漲退，有著可以預知的節奏。當孩子漸漸地長大，「好」與「壞」的發展階段，「穩定」與「不穩定」的情緒，「內向」與「外向」的行為，都交互地出現在他（她）成長的過程中。

三歲──快樂而友善的年齡

一個吵鬧不安的兩歲半孩子，到了將近三歲的時候，會突然變得安靜而斯文。他會常常說：「好！」或「要！」；笑的時候要比哭的時候多；對於你的要求也比以前要能妥協。

大約在兩歲九個月大左右，許多幼兒喜歡重溫襁褓時候的舊夢。他假裝自己是個小寶寶，使用幼稚的兒語。不過，有的孩子不會輕易地放棄他得意的語言能力，因此，我們會聽到類似這樣的話：「我是個小寶寶，我不會走路，我沒有牙齒，我要用奶瓶喝奶，可是，我會講話喲！」

但是，到了三歲，大部分的孩子在生理或是心理的成長上（尤其是情緒發展），會呈現一個穩定的狀態，不再往回走。此時他已有滿好的自我意識和穩固的自我概念。當

然，他「自我」的觀念與別人如何對待他有很大的關係。

在兩歲半的時候，「我」和「你」之間，勢不兩立。當他不能做好的時候，他偏說：「我要自己做。」你要他自己來時，他卻偏偏與你作對，說：「你做。」「你幫我。」到了三歲這個時候，「你」、「我」之間有了一座橋梁，那就是快樂、合作的「我們」。

事實上，三歲是個「我們」的年齡。孩子喜歡說：「我們來……。」比如：「我們去散步，好不好？」這種「一起做」或是「我們」的感覺，使他有「依賴」感。當然，他也喜歡「分享」的滋味。從前看起來滿獨立的孩子，現在卻常常跟媽媽說：「你幫我做……。」或是：「你做給我看。」

雖然，在三歲這個時候，他一向強硬的拒絕態度減少了，取而代之的是分享或是依賴，但是他也體會到自己的成長和能力的增強。他常常在一番表現後，很自信地問：「小寶寶能這樣嗎？」阿諾・吉塞爾博士（Dr. Arnold Gesell）曾經這樣形容三歲：「從前的種種發展結合起來，呈現一個新的自我。」六個月前，多稜多角、多衝突的個性消失了，取而代之的是一個祥和、自制和統整的個體，情緒穩定、易於駕馭。

雖然只有小小的三歲，可是孩子已能察覺別人的喜好或厭惡。事實上，有許多三歲孩子已經能察顏觀色，從人的表情看出喜怒哀樂了。

三歲的孩子也急切地想取悅別人。他儘量要做「對」事情，因此，他常會問你：「這樣做對嗎？」他喜歡別人對他表示激賞和讚美，對友善的幽默也頗有反應。

三歲的孩子在肢體動作的控制上，已經相當成熟和順暢，不像以前，常為自己的笨手笨腳生氣。這種因動作失調而引發的情緒不穩定，一直要到三歲半才會再出現。

三歲的孩子，步伐穩定。他走得很好、跑得很順，在急轉彎時也不費勁。他走路的時候，兩手自然地擺動，不需要誇張的伸張手臂來平衡重心。

三歲的孩子喜歡與其他的孩子玩，但是他最喜歡的人還是媽媽。他喜歡和媽媽一起做事、上街買東西、「幫忙」做家事，更喜歡媽媽陪他玩。尤其是媽媽放下手邊的事，把注意力放在他的身上，講故事給他聽、跟他玩遊戲，或陪在他的身邊時，總是帶給他歡笑與快樂。

從情緒上看來，三歲是個快樂的年齡。他友善、順從、平靜、充滿安全感，易於接受，也樂於分享。

他不僅肢體動作成熟、情緒穩定，在語言能力的發展上更是一種天地。他喜歡學習新的字彙，尤其喜歡這些字眼：「新的」、「秘密」、「嚇一跳」、「好難」。在事情陷入僵局的時候，如果你說對了話，還可以搶救場面呢！比如：你說出「小驚奇」或「小禮

物」這個字，而你也能實際地拿出這個小禮物來，那麼，就算是一塊小小的餅乾，也能博得孩子無限的歡欣，把剛才的不愉快全給忘了。

可是，好景不常，在你還沒享受夠這段美好時光的時候，時間已悄悄地把他帶到另一個成長的階段，而且，這個階段與三歲到三歲半這段年齡截然不同。這也就是我們提到過的，「穩定」之後會出現一段「不穩定」的時期了。（請見圖一）

三歲半到四歲之間

三歲是個合作的年齡，三歲半則恰恰相反，「反抗」是這個時期最大的特徵，對媽媽而言，三歲半的孩子好像凡事都想跟她作對。

許多媽媽發現，連日常生活裏最不足道的動作，都免不了要與三歲兒爭吵一番，無論是穿衣、吃飯、上廁所、起床或睡覺，都可以是一場火爆戰爭。

從前你應付孩子的技巧和方法，現在都失效了。有時候，你明明知道孩子是故意跟你作對；或是你覺得他已經快四歲了，應該懂事一點、合作一點才對，他卻不是這樣，你就難免更火大了。雖然到四歲時，孩子還是會有鬧彆扭的時候，但是，「三歲半」實

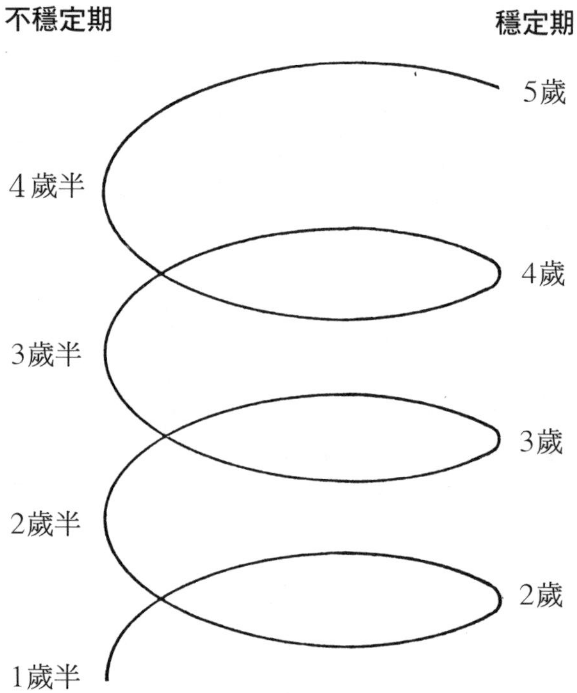

圖　一
穩定期與不穩定期交替出現

在是個難纏的年齡。

孩子在三歲的時候，你不太需要專家的幫忙和忠告，可是到了三歲半，你可大大的需要幫助了。在這裏，我們要特別地告訴你一些孩子在三歲半時難免會發生的事情，你可以把它當作前車之鑑。

我們很謹慎地告訴你，三歲半是一個內向、焦慮、缺乏安全感，同時意志力極強的年齡。有時候，我們難免會以為他之所以如此固執，是因為他太自信了，其實，全然不是那回事，而且剛好相反。

事實上，三歲半的孩子是非常沒有安全感的，甚至在他的生理發展上，也表現出他的不安全感，譬如說：口吃、常摔跤、有時緊張得發抖等等。半年前，他還很自信地，一步一步地走下樓梯，現在卻退到兩腳同跨一格階梯；三歲時他不知天高地厚，現在他說怕摔跤；半年前，他會用積木搭建一座穩固的塔，現在連放一塊積木在小塔上，他都會雙手發抖，甚至連自己也弄不清楚到底用那隻手才方便。

許多孩子在這段期間會有口吃的現象（當然，有的早在兩歲半的不穩定期已有口吃的現象），家長不免著急。但是，從學者的觀察，我們認為，這段期間的口吃只是學前時期語言不流利的一種現象而已，除非口吃的現象持續好幾個月，否則的話，不必特別去

矯正它。

事實上，孩子緊張時的行為表現，比比皆是。譬如說，他會吸吮手指頭、啃指甲、挖鼻孔、摩擦性器官，或是咬衣角，有的則整天抱著他的小棉被，怎麼說也不放手。

在視覺上，他也似乎有許多問題。他怕高；上課老師講故事時，他會說：「我看不見！」他希望圖畫書最好就放在他的面前。他最喜歡單獨聽你念書、講故事給他聽，而且最好是被抱在懷裏來聽，書本則放在他的前面，任他翻閱。

情緒與肢體上的不安全，經常在這個階段表現出來。三歲半的孩子會試著去控制外界，以減少他的焦慮和不安，比如他常命令周圍的人說：「不要看！」「不要笑！」「不可以說話。」上一分鐘，他才得意洋洋地發號施令，但是，只要別人稍微不注意他，他馬上會要求大家注意他。他不讓媽媽講電話、不讓爸爸看報紙，連爸爸媽媽互相講話都不行。

他正在體認「自己與別人」的關係，以及「自我」這個個體；他不像三歲那時候，對「我們」那麼感興趣。這也就是他發號施令的原因之一，他覺得別人無意的一瞥，都是侵犯到他的自主權。

事實上，許多媽媽在孩子三歲半的時候，真的感到束手無策，甚至以往對管教孩子

得心應手的媽媽，都暫時要把孩子交給保母，以便喘息一下。有時候，這些媽媽看到保母反而比自己有辦法，挫折感也就更大。其實，三歲半的孩子已經很了解別人對他的看法了，他知道保母並不見得是真心關切他會不會餓、累不累，倒是他存心要與心愛的媽媽過意不去。如果可能的話，把孩子交給保母，這可能是目前理想的對策。

「缺乏定性」，也是這段期間的特徵之一。他一下子怕羞，一下子又顯得很勇敢。也因為這種情緒的不穩定與變化，就算你凡事都依他，事情卻好像反而更加不順利。他十分地固執，就比如你帶他出去走走，如果他不願再走下去，你儘管走得遠遠的，他還是「釘」在那兒，動也不動地等著你回來帶他。

有時候，你帶他去買東西，到了目的地，他硬要跟你耍脾氣，既不進店裏，也不肯「這樣」、「那樣」，任憑你好話說盡，結局總是嚎啕大哭一場。因此，給你一個好的建議：千萬別帶三歲半的孩子出門，如果沒辦法請個保母的話，不妨考慮和鄰居們輪流交換看孩子。

在所有日常生活中，例行的事可能最教你頭痛的了，尤其是「吃飯」和「穿衣」這兩件事。每一口飯、每一件衣服，都會引起你們之間的一場戰爭。但是在兩餐之間，他也許又會表現完全不同的個性——快樂、合作、可愛、有信心、富創意，十足是一個值

得你去疼愛的小傢伙呢！

你也許很難想像，上一刻鐘才為了吃一頓飯跟你吵得死去活來的孩子，下一分鐘竟然變得活潑、可愛、有想像力和創意，會注意到別人的感受。（當他和你很親熱的時候，他尤其顯得可愛。）

如果從孩子的行為來看他情緒上的發展，我們可以說，三歲半是個緊張、充滿壓力的年紀。他一方面缺乏安全感，一方面卻又想支配外在的世界。因為他無法控制自己的情緒，每天，他都在掙扎中過日子，生活變得很不愉快。不過，很幸運的是，再過六個月，雖然他的情緒還是不很穩定，有時也還滿固執的，但是，大部分的時間他會是快樂和滿足的。

在三歲半這麼小的年齡，「朋友」對他相當重要。事實上，也就是因為他熱衷於他的友伴，使他的行為也有可喜的一面。

許多孩子在這個年齡都有他想像中的朋友，這些「朋友」有的是人，有的是動物。我們認識一個孩子，他有一個想像的「熊家庭」，這些熊占據了整個房子，有時「坐在車裏」，連真的人都沒地方坐呢！

有的孩子喜歡把自己變成「別人」，他們有時是「小貓」、「小狗」或「小馬」。這

些同伴中，有的很脆弱，容易受指使；有的則一副老大模樣，喜歡支配別人。

如果我們把三歲孩子想成是一個「旁觀者」或「等待者」，三歲半的孩子相形之下雖然是倔強了些，但他卻是個「行動者」，是個「演員」。雖說他的舉止有時難免衝動或粗魯了些，也難免偶有突發而無法控制的意外事件發生，比如他自己也不知道為什麼突然會尿濕了褲子，或者事情不如意時，他會突然嚎啕大哭起來。

三歲半孩子的這些行為特徵，免不了要給家長們帶來煩惱和焦慮。不過，有一點值得欣慰的是，有的孩子會在這個時候長得很快。尤其是一些發育較慢的孩子，會在這時迎頭趕上他的同儕；還有那些較慢學說話的男孩，也會在三歲半時，變得口齒伶俐。

事實上，語言能力的流暢，也會讓三歲半孩子的行為表現更令人滿意，他不只是語彙增加了，他同時也發現語言真正的功能是在「彼此的溝通」，因此，他對講故事、看書，都有顯著的興趣，也帶來不少快樂的親子時光。

另一件有趣的事是，戀母情結會在這時出現。有一個小男孩硬是要與媽媽結婚，媽媽問他：「結婚後，我們要做什麼？」他說：「我們可以坐在沙發上聊天。有時候，我們可以光是坐著，不用講話呀！」

給父母的提醒

你與三歲孩子相處的這段時間，會是相當美好而親密的，不需要什麼別的忠告。但是，當他到了三歲半時，你卻得格外小心。

第一個建議——

雖然這是段不愉快的時期，但孩子並非你的敵人，他並不是故意要跟你作對，而是他處於身心不穩定的狀態。他的日常生活起居，比如：起床、睡覺、吃飯、穿衣等，都需要你多費點精力、多花心思來處理。

處理這些小事情時，你得在所持的原則下，要求他做到某個程度，而不要任他隨心所欲。當然，也不是凡事都非得照著你的意願不可，有時也不妨讓他「贏」幾次。

第二個建議——

不管孩子的年齡有多大，別忘了，他是一個獨立的個體。天底下沒有「相同」的兩個孩子，也不可能同時到達某個發展階段，我們所描述的三歲或三歲半孩子的特徵，你的孩子也許會早有，也許會遲點出現，或許他的成長根本就與一般人不一樣呢！

你也許擁有一個愉悅和順的孩子，他能平靜地度過三歲半到四歲這段期間。因此，你不必擔心他沒表現出不穩定的特徵。如果他真出現這些現象的話，你也大可放心，因為，就算脾氣再好，孩子也會有不穩定的時候。

這本書上所提到的特徵，是一般孩子在這個年齡常會有的。如果你的孩子與別人不同，請別擔心，因為，並不是每個孩子都會有一樣的成長過程，就算是「正常」或「一般」的孩子，也一樣會有一點不同。

第二章　同儕關係

三歲

孩子逐漸地長大，朋友的重要性也慢慢地增加。但是，朋友帶給他的快樂，往往要比你期望的來得慢些。心急的媽媽看到自己一歲半的女兒或兩歲兒子對其他的孩子不理不睬時，總免不了要失望。到了兩歲半時，孩子會花點時間在別人身上，但他在意的也只是，怕自己的東西被他人搶走，或是他只想去搶別人的東西而已。

很幸運地，孩子到了三歲的時候，就能與其他的孩子玩得很愉快，雖然他的社會行為還不很成熟，但是他很熱衷於交友。「我們」是他所喜歡的一個字眼，「朋友」也是新學的字彙。他喜歡說：「我也一樣。」在幼兒園（幼稚園或托兒所）裏，三歲的孩子開始會主動與老師和其他的孩子交談和遊戲。（請看第三十八頁圖二）

他們彼此之間互動（Cooperative play）的遊戲方法以平行方式（Parallel play）出現。也就是說，三歲孩子是真的在跟別人玩，而不僅僅是個旁觀者。他不再自私，也懂得分享，有的還會利用以前老師用過的小技巧呢！比如，別人要搶他東西的時候，他也會跟這個孩子說：「別的東西也一樣好玩啊！」

他可以接受「別人擁有東西」這個事實。我們可以聽到類似這樣的對話：

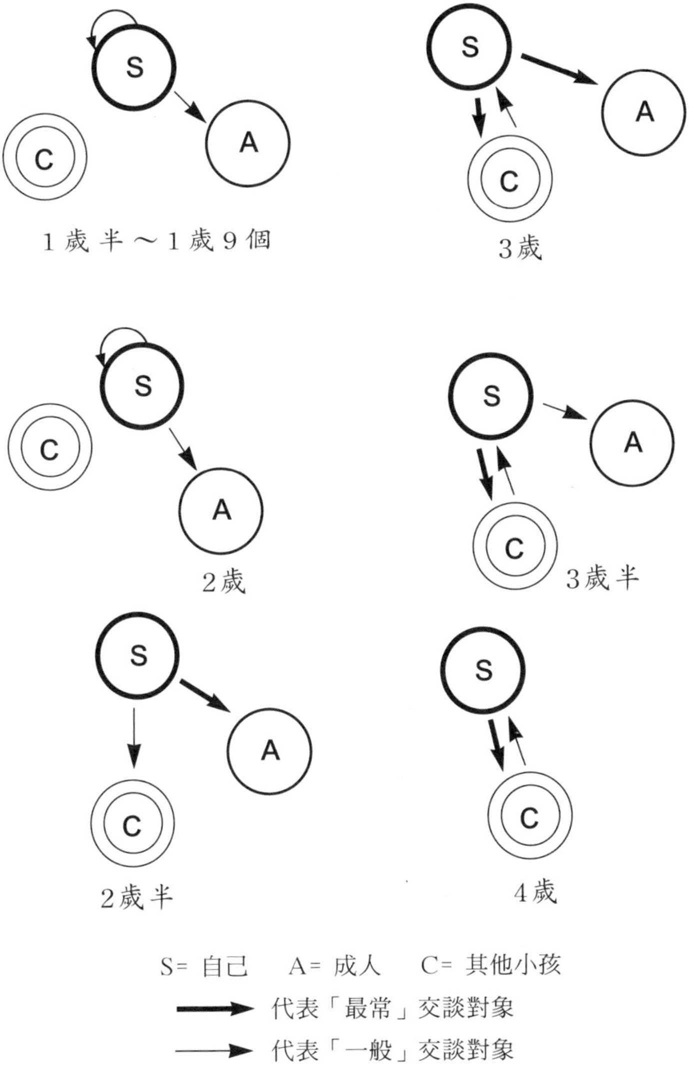

圖二　孩子與他人交談情形

「這是我的小汽車。」

「喔！是你的啊！」

或是他會說：

「你的借我，我的借你玩，好不好？」

有時候，幼兒園裏的另一個小孩（比如班上的領導人物，或兩個人共同的朋友），也能代替老師來解決一些小爭吵。甚至有的孩子會很有禮貌地問道：

「我可以和你玩嗎？」

「我可以用這個嗎？」

事實上，許多三歲的孩子已經開始注意到別人的感受與看法（觀點）。因此，大人在解決孩子間的爭吵問題時，不妨可以跟孩子解釋對方的觀點（這在半年前是絕對行不通的）。

有的孩子有他自己特別喜歡的小朋友，他常期望與這個朋友一起遊戲或工作。

孩子與孩子之間的互動，跟兩歲半時比較起來，也截然不同。他們之間不僅有更多不同的事發生，他們在同一個空間的互動情形，給你的感覺更是完全不一樣。譬如說，三歲孩子有時候在教室裏漫無目的地走動，好像跟別人都玩不起來似的。他們有的只對

洋娃娃和黏土有興趣，自己一個人玩；有的跟在教室裏的大人後面，說東說西，再不然就要求給他一些機會「幫忙」；有些「觀察型」的孩子則在一旁看著別人玩。當然，他們也有跟別人玩得很起勁的時候，譬如：三、四個孩子聚在一起，有的在娃娃角，有的在積木角，他們大聲叫著、笑著、爬著、吵鬧著。

換句話說，在一個團體裏，我們可以看到三歲孩子間各種不同的玩法——自己玩、跟大人交談，或是幾個人成一小組，彼此之間有不同的玩法。

不管三歲小孩此刻做的是什麼事，他們之間互動情形的改變是很快的。雖然有許多孩子，看起來還是很「個別」性，不容易與其他孩子玩在一起，不過，至少他們喜歡和別人在一個空間裏。幾乎很少三歲小孩會自己一個人跑開去玩。當然，在團體中，遊戲的統一性和持久性也很短暫。一個孩子可能這兒爬爬、那兒玩玩；一下子到積木角，一下子玩娃娃家。

三歲孩子的行為，不僅因時、因地而異，也會受他本身的成熟度所影響。例如：一組在積木角玩得好好的孩子，會突然地打起架來，或者有人哭著喊：「這是我的！」

事實上，三歲孩子仍然覺得跟大人在一起，要比與其他孩子相處來得輕鬆些。他們可以很自由很放鬆地和在場的大人交談，或請求幫忙協助，但是與其他孩子在一起時，

就不見得那麼自在了。任何一種遊戲都會突然間變得吵吵鬧鬧，甚至打起架來。

絕大部分三歲孩子感興趣的，不是活動的本身，而是其他的人。他們在一起玩黏土時，有的會注意到別人怎麼玩；當然，有的還是我行我素；有的孩子會叫其他的人來看他的作品（不像以前，只拿給老師看）；也有幾個小朋友，彼此之間的互動很好，他們能較有持續性地玩下去。男孩與女孩也開始能玩在一起，而且還有點調戲對方呢！從他們能分享東西、等待和輪流的行為看來，三歲孩子的社會性是逐漸成熟了。他們會說：「等我畫完，好嗎？」玩汽車遊戲，遇著別人不願繞過他的車子時，他也會主動地調整一下，讓自己的車子去繞別人的車子。

有時候，有的孩子會說：「你去拿別的，我要玩這個。」但如果對方堅持要拿這個東西時，他也不會拒絕。三歲孩子的攻擊性和防衛性都不如兩歲半時那麼強，他們比較希望找出解決的辦法，而不想爭吵。隨著年齡的增加，他們學會了使用技巧（比如：輪流玩或交換玩），同時也較容易調整意願，所以，三歲孩子間的爭執比較容易解決。

三歲孩子彼此間的交談是滿友善的。日常生活的活動和想像遊戲提供了他們許多講不完的話題：「假裝這是船！」「你裝狗，叫『汪汪』！」「吃塊蛋糕！」在團體裏，許多三歲的孩子才開始主動地開口說話，不過，也有的已經能與其他的孩子作有意義的交

談了。他們會拒絕要求、給予許諾、交換東西，或者是參與娃娃角和其他的團體活動，一面玩，一面談著他小時候當小寶寶的事兒呢！

雖然，有時候會有四、五個孩子聚在一起玩，但是，「兩個人一起」通常是最理想的。兩人以上的話，常會有一些意想不到的爭執打斷活動的流暢。儘管兩個人在一起，但最好的也是各玩各的。比如：小女孩一個人在娃娃角擺置桌椅，另一個人則照顧那些娃娃。

與較大的四歲兒比較起來，三歲是合作式遊戲的啟蒙期，但他們雖然玩在一起，卻沒什麼活動內容。比如說，他們兩個都會站在裝扮的「店」裏，但也只限於把頭從窗口伸出來，表示他們是老闆而已。也就是說，他們只是把合作式的遊戲場面「擺」出來而已，並沒有進一步地進行活動。

三歲孩子比起兩歲半時，要來得溫和些，但也比較常排斥別人。六個月以後，排斥的態度更加厲害，無論在語言或行為上，三歲半的孩子表現得都十分強硬，所幸持續性並不高。三歲孩子排斥別人時，通常會顯出一副「老大」相（但很容易軟下來）；被排斥的，會在堅持了一陣子之後，向大人「求救」。在這個階段，孩子間彼此的關係還是試探性的。孩子們喜歡觀察別人的行為，包括那些排除自己的人。

這一類影響別的孩子的行為有許多種，一般包括了身體的動作，比如把人從椅子上強行拉開，或厲口急喊：「那是我的！你走開！」當然，也有友善的建議，比如：「我們到那邊去玩！」

三歲半

到了這個階段，孩子很少各玩各的。他們常在合作式的遊戲裏，三三兩兩地玩著。人多一點的時候，玩的方式也較複雜、持久。教室裏，也許只有兩三個小組，而組裏的成員流動性也滿大的。

這個階段的孩子不僅對別人的所言所行感到興趣，同時也喜歡別的「人」。譬如：遊戲是很明顯的「合作式」；彼此之間對物的爭吵減少了，他們比較能夠顧及別人的意願，而且也能欣賞別人的所作所為。當男孩與女孩一起玩時，他們還會微笑，甚至彼此調戲呢！

他們在一起玩時，會互相「商量」，像：「我可以拿這一個東西嗎？」「你要我這樣嗎？」「不要那樣！」「我們一起來玩積木。」無論他們是在一起談話、扮家家酒、微

笑、合作、調笑或受挫，他們看起來對各種活動、玩具和朋友，都非常感興趣。

男孩子比較調皮，也愛作怪、裝模作樣。有時候，一個男孩子故意頑皮搗蛋四處亂跑，往往會引發其他孩子的笑聲，甚至有的會跟著起哄。在女孩子當中，如果小團體裏的成員動作能力不佳，或是不能好好一起合作的話，再好玩的遊戲，也玩不久。

他們活動的內容，也許可以預先策畫，比如一組畫圖，一組玩黏土，但絕大部分還是以孩子即興的提議和想像遊戲為主。

在這個年齡，孩子不僅在一起玩泥土、繪畫或騎腳踏車，他們也喜歡在一起玩假想的扮演遊戲。在一起堆積木、扮家家酒，或在娃娃屋裏玩很久。大部分的孩子能描述自己所扮演的角色，比如：「我是老闆。」「我是警察，在指揮交通。」一面表演，一面用語言來表達，整個合作遊戲變得複雜且活潑了許多。而往往，他們「說」的比「演」得還多。比如：一群孩子正扮演著動物園裏的動物角色，他們可能一人兼飾幾種角色，並且把動物園的情況、人群、動物……等，描述得很仔細，而實際上，他們很可能只是蹲在那兒，沒什麼「表演」可言。

不過，小男孩也許「演」的比「說」的還多。比如：一群小男生會將積木搭成一列救火車，然後在車子旁邊跳來跳去，發出汽笛聲呢！

三歲半的孩子對朋友的感情，比起三歲的時候要熱烈許多。雖然如此，但除了特別「要好」的幾個人外，他圈子裏的朋友仍然常常換來換去，隨時都有孩子換朋友。

這也許是因為他們對「朋友」的定義是針對「遊戲時的玩伴」所造成的。因此，我們常聽到：「不要給他玩！」「我們不喜歡你！」「才不要跟你玩！」，這些話聽起來好像是用排斥的方法來強調「一起玩的人」的相同點。早些時候，孩子不一起玩，大致是因為成熟度不夠的緣故，現在，如果他們不一起玩的話，就很可能是組裏的成員有人排斥某一個孩子。

通常，老師或媽媽會想辦法來解決這類排斥其他人的行為。比如，讓這個小朋友扮演某種角色：「他是郵差，給大家送信來了！」「送牛奶的伯伯來了！我們大家都有牛奶喝了。」「外婆來看我們耶！」大人要很小心地引導孩子，才能避免團體中有人受到創傷。不過，也不要責備那些排斥他人的孩子（或家長），因為，「團體壓力」畢竟是很大的。

由於孩子與孩子之間的吸引力大於對「東西」的興趣，在發生對物的爭執時，他們已能用「等待」、「輪流」或「代替物」來解決問題。但是不管是多好玩的遊戲，玩久了總是會逐漸無聊或沒趣，這時候，在旁指導的大人，就得插手進來幫忙一下了。（我們

的研究報告曾顯示出，三歲半是孩子開始對其他的孩子比對老師感到有興趣的年齡。請見第三十八頁圖二）

兄弟姊妹

三歲孩子大部分的時間都是友善而可親的，不管是與家庭裏的兄弟姊妹之間，還是與外面的人，他們都能相處得很好。三歲半則不然，他們比較霸道、很難與人妥協。在家裏與兄弟姊妹相處的情形，就要看家庭狀況和孩子的個別性情而定。

如果家裏只有一個三歲的孩子，而他又是家中的寶貝，這時候老二的出生就會帶給他相當大的抗拒。他會說：「把小寶寶丟掉！」或是不客氣地表示對小寶寶的排斥。不過，也有的孩子對新添的寶寶滿照顧和愛護的。當然，這需要大人的觀察和一點技巧，以避免擴大孩子間的衝突。當他情緒好的時候，三歲的孩子會跟家裏的人相處得很好，但是，如果他的情緒不好，他和任何人就都要爭吵一番。

不管孩子幾歲，最好的辦法就是，仔細看看在什麼時候、什麼情況下，孩子之間最容易起衝突，然後儘量把孩子分開，避免這些「情境」的重演。但是最重要的，還是認

可孩子們情緒發洩的表現方式，讓他們在大吵、大叫中得到滿足。因此，你就見機行事吧！如果你不喜歡孩子們吵架，就想辦法阻止；不然的話，就接受「孩子總是會吵架」的事實吧！

第三章 與三歲孩子相處的技巧

不管孩子多大，如果你想讓他的行為比較符合你的理想，他就得認清他在這個年齡上的特點，再加以調整你的願望。你對兒童的發展越了解，對自己孩子的個性越清楚，你就越能有效地掌握教養的技巧。

老實說，你的孩子在三歲的這個時候，你並不需要什麼技巧，只要憑著一般家長的熱誠、耐心、愛心和普通常識，就能順利地過日子。但是，孩子一旦到了三歲半，就不是這樣子了。**千萬記得，你的孩子不是你的敵人，當孩子表現最壞的時候，也常是他最需要幫忙的時候。**他並不是故意要那麼頑皮，而是在生理發展、身體機能的運行上是這個樣子的，他沒有辦法控制，因此，你更得幫忙他。

了解與接納他的兩大技巧

怎麼做，才能讓你和孩子平心靜氣地度過這段時期呢？

第一：接受他在這個年齡，最大的情緒發洩對象是「母親」的事實。

母親是一個比他強的人，他需要去征服媽媽。任何一個孩子與母親的關係，不是最好，就是最壞。三歲半時，更是這樣。

在這段期間，你最好能讓保母來緩衝你和孩子之間的關係。前面我們說過，當你看到一個沒有什麼育兒經驗的高中生，竟然能讓你的孩子乖乖地吃完一碗飯，或輕鬆地洗完澡，你也許會氣得跺腳，不過，事實就是這樣。

為什麼呢？因為保母並不在乎他是不是一定得準時上床，或者穿得夠不夠暖和。三歲半的小傢伙只和他的死對頭作對——那就是他的母親。這聽起來好像有點駭人聽聞，不過，這一直是我們給媽媽最好的一個忠告。

你一旦離開了孩子的身邊，最好不要再回來「看看」。比如：保母把他帶到外面去玩，你不要頻頻出現；好不容易讓他睡了，也不要在門窗外伸頭探腦的。否則，孩子只要一看到你，又要開始鬧了。

就因為這個年齡的孩子常跟媽媽無理取鬧，因此，我們特別建議你送他到托兒所或幼稚園。他喜歡與別的孩子一起玩、一起工作，學校也較能提供各種不同的活動。一個星期只去幼兒園兩、三個上午，不僅提供了媽媽喘口氣的機會，也可讓孩子緩和一下與大人的爭執。

第二：在他不鬧情緒的時候，騰出時間陪他玩。

其實，不管孩子幾歲，帶孩子的最好技巧就是「與他建立良好的關係」，這樣，他會

很愉快地做你要他做的事。因此，讓他知道「你很關心他、很愛他、認為他是天下最乖的孩子」，當然，在這方面，還得要有許多技巧。譬如，你可以用身體語言來表達（抱抱他、親親他），也可以用語言來表達（不只限於讚美的話而已，要很用心地真正與他講話）。

在孩子這一方面，其實他也想向你表示他對你的喜愛。三歲時，他喜歡你；三歲半時，他愛你。這兩者間的差異，他是能感受到的。有一個三歲半的孩子跟老師說：「我愛你的頭髮。」老師說：「謝謝你喜歡我的新髮型。」孩子急著叫：「不對，不對，我『愛』你的髮型。」

使生活愉快的十三個技巧

三歲的孩子很喜歡跟你講話。當然，他談的內容不會像十歲那麼豐富而有趣，但是在這時候，你是可以開始跟他「交談」了。

技巧一：避免帶他上街或作客

如果你的孩子在上街或作客時，過分地頑皮不安，那麼你就得儘量避免這種場合。

四歲的孩子比較能夠從這些活動中獲益；三歲半的小孩最好是留在家裏。

技巧二：用周詳的計畫解決問題

如果你還是個生手，那麼你最好要有個通盤的計畫，讓你能時時化險為夷，而不是用「頭痛醫頭，腳痛醫腳」的方式，來處理你們每天的爭執。

我們認識一個小女孩，她把她的爸媽整得好慘。她每天一大早就起床，強逼大人非陪她不可，她的父母終於想出了一個辦法，那就是每天為她準備一樣「小驚奇」，如果她能在起床後，安靜地玩這樣東西，那麼隔天就有另一樣讓她驚奇的東西等著她。就這樣，她的父母每天早上得以有時間多休息一會兒。（結果，這個小女孩在過了一段不太短的時間之後，請求爸媽換換別的東西給她，不要每天早上都給她葡萄乾和餅乾。）

技巧三：巧妙地運用電視當幫手

別忘了，電視或許也可以成為你的助手。有技巧地運用電視，你可以讓孩子既高興又減少麻煩。

技巧四：讓他自己進食

如果吃三餐也是你的一個頭痛問題，又沒有人可以幫助你的話，建議你最好先把東西準備好，拿到他面前，然後不要再去管他。否則，孩子每吃一口，你都會氣得想要掐

死他。

技巧五：引開他的注意力

如果孩子不願意穿、脫衣服，那就讓他把T恤穿在睡衣裏面。你在幫他穿衣服時，也可以和他談談別的有趣的事，把他的注意力從衣服上引開。

技巧六：用緩和的態度來引導他面對不安

我們說過，孩子的情緒很脆弱，不管小男孩或小女孩，都會有許多的恐懼感，特別是對黑暗、動物和容貌特殊的人。因此，不要太在意孩子的這些反應，也不要強迫他去看這些東西。

這個年齡的孩子，對殘缺不全的東西也會有不安的感覺。「破了」或「壞了」是他們常用的字彙，所以，「修理好」這個詞彙變得相當重要。玩具要選擇有耐久性的，當然，玩具壞了的時候，爸爸最好能花一點時間把它「修理好」。

他也很怕看到任何肢體上的不全（比如：打上石膏的肢體），甚至一個好好的生日蛋糕切開時，也會招來他大量的眼淚和嚎啕，把生日氣氛破壞無餘。幸好，他豐富的想像力可以挽回這種場面。當他一口一口地吃蛋糕時，他從蛋糕的形狀，可以說出那是一隻大象、猴子，或一艘船。

既然三歲半時的恐懼感、害怕和不安，常帶給孩子莫大的負擔，你就儘量以緩和的態度來引導他面對這些場合或東西。如果他害怕一個人到院子裏玩，那麼，你就陪著他吧！如果他怕獨自走下樓梯，那你就握著他的小手。對於他害怕的東西，你也可以編首歌，輕鬆地唱給他聽，消除他的恐懼感。當他知道這個世界上有人和他一樣有不安的感覺時，他也許會鬆一口氣。

四歲就不同了，他們比較強，也比較有安全感。你可以把握這個事實，跟孩子說，他到四歲的時候，會變得很勇敢，再也沒有東西讓他害怕了。

技巧七：巧妙處理退化行為

許多三歲孩子從兩歲半到三歲這段期間，有些行為會退回到襁褓時代，他們常常要大人抱。聰明的媽媽出門時，別忘了帶一部手推的娃娃車（畢竟，一個十七公斤重的孩子抱起來是很吃力的）。他也許不肯上去坐，但是如果你先把他喜歡的玩具熊或娃娃放在車上的話，就可以減少他的抗拒感。說不定，在回家的路上，他還會要與這些「好朋友」分著坐呢！

技巧八：善用家事分享時間

到三歲半，孩子可能一點也不理會你的威脅利誘。上街時，他說不走就是不肯走。

如果他不愛走路，你最好讓他暫時多作室內活動，特別是他能參與幫忙的廚房這一類的事情，比如：和他一起作果泥、打果汁、包水餃、搓湯圓等，色香味俱全的烹飪，可以緩和一下他緊張的情緒，而且，在不久的將來，你們母子又可以一起享受散步、上街的樂趣了。

儘量讓他覺得，待在家裏做室內活動是滿有趣的。你可以編一首歌或編個故事，告訴他：在他兩歲多時，他最喜歡走小路邊緣；四歲時，他會喜歡在戶外奔跑；現在他三歲，他最喜歡當媽媽的小幫手……。當然，也許有一天，他會不相信這一套，改要求你帶他出去散散步。

其實，如果你是一個富有想像力的媽媽，可以輕而易舉地消除孩子當街與你鬥法、不妥協的毛病。我們認識一位媽媽，他的孩子三歲十個月大，正熱衷於當超人，遇到孩子上街鬧彆扭時，這位媽媽就把預先準備好的小披風套在孩子身上，並且告訴他，昨晚爸爸帶回來一包好香好脆的餅乾，正等著超人來品嘗……。

技巧九：鼓勵他作小動物的好榜樣

在孩子三歲的時期，小肌肉的發展仍未成熟，手眼協調的能力也還不是很好。如果你孩子的手指還不靈活，你可以適度地幫忙他，但不要硬拉他的手，強迫他再試試看，

因為他已經盡全力做了。

如果你的孩子有個假想的朋友，你可以趁機鼓勵他做這個「朋友」的好榜樣。如果他說他自己是一隻小狗或貓咪，那麼你得要花點心思，讓這隻「小狗」做許多他平常不願意做的事。當然，請別忘了這些「動物」各有特徵，比如洗澡時，你最好說：「來！小白鴿，舉起你的翅膀來！」或：「小貓咪，把你的小爪子伸出來！」

技巧十：避免用責備或挑剔的字眼

當然，如果你的孩子還在吸吮手指頭，或依賴他的小棉被時，千萬不要在這時候要他改變習慣，因為這些小動作也有安撫他情緒的作用。

如同孩子在兩歲半時一樣，你得要有一些「駕馭」他的方法和技巧。當然，也不一定要你處處表現「統治者」的威嚴。最好能想個辦法讓自己和孩子都能夠輕鬆地度過一天。因此，儘量使用這些字眼：「要不要……？」「讓我們一起來……！」「也許你可以……。」使他能有選擇，而且不會有「丟臉」或下不了臺的難堪。儘量避免用否定或負面的字眼，寧可用正面的：「來！我們把書放回書櫃去。」也不要說：「你看看！書丟得到處都是，真亂啊！」

也不要受制於孩子的「我不喜歡」、「討厭」、「你最笨」、「我好愛你」等口頭

語，讓孩子知道他可以用這些字眼來控制你的行動或情緒。萬一真有這種情形時，你還是得把握你的原則，不要讓他得逞。

技巧十一：適度調節他的生理需求

有一些三歲半的孩子還有一個特色，那就是在這段期間，動作突然加快，有時候快得無法控制，東衝西撞的，十分魯莽。家長可以利用這個特色，試著改善他的行為。比如上樓時，你不妨說：「我們來比賽，看誰先到。」

當然，你要很小心地引導，也要有限度地使用，否則，這個「速度」會破壞一切事情。了解這一點的父母或老師，可以及早設法引導或轉移孩子的興趣。比如，老師看到一群孩子小心搭建的積木塔，即將被人破壞時，應該將孩子的注意力轉到他處，以免積木垮下來時，傷到一、兩個孩子的感情。

技巧十二：及時轉移他的注意力

克林可路博士（Dr. Colin Colew）把「轉移注意力」稱作指揮這個年齡的「魔術杖」，如果你一頭栽進去，硬要與孩子拚老命的話，你是不會成功的；但如果你善用「轉移注意力」，則可以避免跟孩子鬥法。因此，當你注意到孩子開始鬧彆扭時，及時轉移他的注意力，談談別的、讚美他幾句、講一講笑話、拍一拍手、作個怪聲，或者甚至拿點

他愛吃的東西賄賂他。但是，有些孩子十分固執，當他發起牛脾氣的時候，會把你也惹得火冒三丈。不過，你也應該讓他知道「爸媽也是人」、「忍耐力是有限的」。到四歲時，孩子的脾氣會較容易控制。

技巧十三：讓孩子心理有所準備

由於每個孩子都有個別差異，因此，在技巧上也得因孩子而有不同。有的孩子天生就是好脾氣，也容易與人相處；有的孩子比較情緒化，他的舉止行動往往會因時、因地而有改變。

就拿「警告」來說吧！有的孩子事先有了心理準備，在行為上，就比較容易約束。有的剛好相反，「警告」使他變得更緊張，不僅於事無補，反而弄巧成拙，不過，家長們早早就知道自己的孩子是屬於那一種的了。

「讓孩子心理有所準備」往往牽涉到另一樁事情。那就是：「要不要提早告訴孩子你晚上有個應酬，並且大大方方地與他道別走出家門？還是偷偷摸摸地溜出去，不要讓他知道？」不試你也不知道，試幾次後，你就知道了！

事實上，有的三歲半的孩子一看見媽媽要離開，就會變得歇斯底里，然而，也沒有一個父母願意受制於孩子的眼淚，這之間是很有衝突的。不過，在這段期間內，如果孩

子有極高的恐懼感時，你就儘量不要出去吧！畢竟這段時間不會很久的。

無論如何，請別忘了，時間很快就會過去的！不管他多麼刁難，多麼難侍候，四歲很快就會來臨的。

合理且一致的管教方式

我們上面所談到的一些技巧，其實也就是一種管教態度。管教與懲罰是不一樣的，管教是「讓孩子表現良好行為的方法」，技巧只是達到目的的一種運用方式。

每個人都有他自己的管教方法，也許你是古板的、「權威型」的父母，不管孩子的能力或意願如何，都得依照你的規定去做事；也許你是「放縱型」的父母，讓孩子完全依照自己的意願去做事；也許你是介於兩者之間，有彈性地引導孩子，你的要求配合孩子的能力和成熟度，你有合理的要求，也期望孩子能達到你的要求。

你的管教方法越好，越能減少孩子的「反抗」和「不好的」行為，也越不需要處罰孩子。當然，沒有人能完完全全不出錯的，再快樂的家庭，孩子也會有鬧脾氣的時候。

至於處罰的方式，也因你個人的性情以及孩子的個性而異。有的孩子怕你把他關在

房間裏（雖然只是暫時的）；有的怕你拿走他心愛的東西；有的只需責罵就夠了，有的則需要體罰。偶爾打打屁股不算不尋常，但是打屁股不能成為處罰的代名詞。一些個性強、有暴力傾向的孩子並不在意你打他的屁股，但是那些敏感、脆弱的孩子，卻會非常地憤怒。

一些主張行為改變的學者認為，只要你讚美孩子的好行為、忽視他壞的舉止，就能消除他不被接受的行為。對有些家長來說，這個方法可能行不通，但是如果你覺得不可行的話，我們建議你不妨參考這方面的書籍。

在你選擇你的育兒哲學和管教方法時，除了考慮你自己的個性和孩子的性情之外，「父母有一致的教養態度」也很重要，如果父母對孩子的要求是一致而合理的，那麼孩子也會較放鬆、易於管教。

給父母的提醒

1. 別奢望孩子隨時隨地都能遵守規矩，也不要以為你做對了，孩子就沒事。三歲半是個傷腦筋的年齡，你們每天幾乎都有好幾場「戰火」待開呢！

2.如果你將孩子大部分的時間都交給保母或別人照顧的話，不要有罪惡感。事實上，這可能是最好的方法。

3.有的孩子仍然需要他的舊棉被或吸吮手指頭，請不必擔心他將來會改不掉。

4.孩子有時候手眼不太協調，會突然摔跤、抽筋，或口吃，不要因此以為他發展不好。許多三歲半的孩子都有這種現象。

5.如果他不再午睡了，請不必大驚小怪。只要你們兩人有片刻的小睡或休息，那就足足有餘了。

6.避免使用想要改正孩子口吃的一些字眼或句子。如果他講錯了，你可以把正確的講一遍，在這段期間，不管他用的語言多不成熟，你也應該為他能力的進步而高興。

7.不要老是覺得孩子吃得不夠。他自己最知道該吃多少，不要每頓飯都要他吃很多，或硬要他吃下他不喜歡的食物。好好的吃一餐，比你追著餵的三頓飯要來得有用。

8.如果你的孩子晚上還要用尿布的話，那也不值得大驚小怪。有些孩子到五、六歲，才能完全控制夜間小便呢！

9.不要老是覺得你應該教他認字、讀書。倒不如儘量抽空講故事給他聽，把書放在他拿得到的地方，讓他看到你愛閱讀書報、雜誌的習慣。如果有一天，他指著某個字問那

是什麼？你可以告訴他字的意思，但千萬別急著教他認字。培養閱讀的興趣不是單方面的事，也要配合孩子的成熟度。

10. 不要尋尋覓覓，閱讀那些標榜著「如何提高幼兒智力」或「資優兒的養育方法」這一類的書籍。因為我們誰都沒有權利來決定孩子的智力。

11. 不要刻意去修正孩子的個性。孩子儘管只有三、四歲，我們也看得出他們的性格，他們有的好動；有的愛靜；有的整天吵吵鬧鬧、活潑、大方；有的安靜地做著自個兒的事；有的容易與人相處；有的卻只要與自己性情相似的孩子在一起玩。

12. 最後，請記得：不必一定要他屈服，許多孩子是「吃軟不吃硬」的。

第四章　能力表現

孩子的能力表現相差甚遠。有的孩子兩歲時，已經會講許多話了，也會使用很多字彙；有的要到三歲（尤其是男孩），甚至再大一點，才會開始講話。別忘了，孩子有他自己發展的速度，這是你急不得的。

有一點很重要的是，做家長的，不必覺得你應該特別注重孩子的智力。就像阿諾‧吉塞爾博士（Dr. Arnold Gesell）很早以前就告訴過我們：「人類的智力是可以自我說明的。」人類的頭腦，並不是單獨存在的，它是身體的一部分。孩子的所作所為，都能告訴我們「他的心智狀況」。

他走路、賽跑、爬、看、聽；他搶了別人的玩具；他和其他的孩子一起玩；他拒絕穿外套；他自己穿衣服，或是玩黏土、畫張圖、用積木蓋房子，這一切都是「能力」的表現。

孩子到了三、四歲，也不用刻意地去教他認字或數學，好讓別人知道「他的腦子沒問題」。尤其也不要對所謂的「認知發展」太在意，那只是一個被濫用的名詞。

如果你的孩子有很好的潛能，而你也能提供一個豐富而生動的學習環境，給他充分的愛與鼓勵，孩子的能力自然就會發揮出來。所以，我們希望，孩子到了三、四歲的時候，家長不要急切地想看到他的「能力表現」。你應該注意的是，他是否具備了和同年齡

孩子在這個階段的基本能力。

下面是一般的三歲孩子在各方面的能力，你自己參考一下，如果你的孩子還沒有達到這個標準，也不要太過惶恐。

三歲到三歲半

●動作方面

到了三歲的時候，你的孩子看起來不再有頭重腳輕的感覺。他站起來不費力，也能輕而易舉地將膝蓋靠攏，保持平衡。大部分的三歲孩子走路的時候，腳步穩定，雙手自然地擺動，不再需要靠手來平衡身體。

當然，也有些孩子在這時候看起來，好像膝蓋打結似的。不過，再過些時候，這種情形會自然地消失。他的肩膀比以前筆直，腹部也收縮了。從三歲孩子穩定的步伐和速度，可以看出他的動作發展正常與否。

雖然三歲孩子對樓梯不再那麼感興趣，但是，他現在已經能一腳一階地上樓梯了

（下樓梯時，卻不見得能這樣）。他喜歡雙腳併攏，從樓梯最下面一階跳下來；也能很有技巧地騎腳踏車（事實上，三歲就是腳踏車時代）。如果你要求他作個「金雞獨立」的姿勢，大部分的三歲孩子也能站個幾秒鐘。

三歲孩子常常會玩得忘形。他跑、跳、衝，隨著音樂舞動，他可以從蹲著的姿勢，很輕易地轉變成站的姿勢。在幼稚園裏，三歲孩子喜歡在斜坡上跑來跑去，在攀爬架上上下下玩，也喜歡溜滑梯。不論是男孩或女孩，他們都能從跑、跳的體能活動中，得到相當大的樂趣。

三歲孩子對肢體的控制十分靈活，除了跑、跳外，他能直直地走向前，也能倒退著走；他可以伸直雙手，來接體積較大的球；也能把球丟出去，而還保持著身體的平衡。

三歲孩子的動作比以前更成熟、更穩定，但是，他所表現出來的「動作」花樣多，而實際「動」的時間並不長。比如說，你帶他出去玩，他雖然對目的地已經有個概念，但他仍然喜歡沿路走走別人家的臺階，或是沿著花圃前院的小埂，上下個不停。只是，比起以前來，這些拖拉時間少得多了。

我們曾經到幼稚園做觀察紀錄，在七分鐘的活動裏，我們看到三歲的孩子，不再像兩歲以前一樣，在教室裏面漫無目的地走來走去。現在，不管是男孩子或女孩子，他們

都會花多一點的時間（三～四分鐘）在一、兩樣活動上。也就是說，三歲孩子「動」的欲望仍然很強，但是，因為注意力較集中的緣故，他比以前更不會亂跑、亂跳了。（請見第七十一頁圖三）

●視覺方面

典型的三歲孩子所看到的世界，要比以前平靜了些。他對於自己的所見所聞都能仔細地講述一番，他可以調整自己的視線，由遠處拉到近處，不會有混淆不清的感覺。同時，「人」對他愈來愈重要，他會學著察顏觀色。

「手」現在扮演著更直接的角色，它漸漸脫離視覺的控制。譬如，他在玩積木時，會用眼睛仔細地端詳一番；會用眼光來衡量自己的作品與模型之間的差距。

在戶外活動的時候，他比以前更能注意到特殊的建築物，而且也漸漸有了方向感，但是，三歲的孩子仍舊會把特殊的人與特殊的地方聯想起來。因此，當他在市場遇到老師的時候，就不免疑惑了起來，不知道老師為什麼會出現在這裏。有的孩子也會認為，與他所坐的車子開往同一方向的汽車，都是要到同一個地方去的。

三歲的孩子對幼兒園充滿了興趣。他愛搭建積木，也愛玩黏土和泥巴。他總覺得需

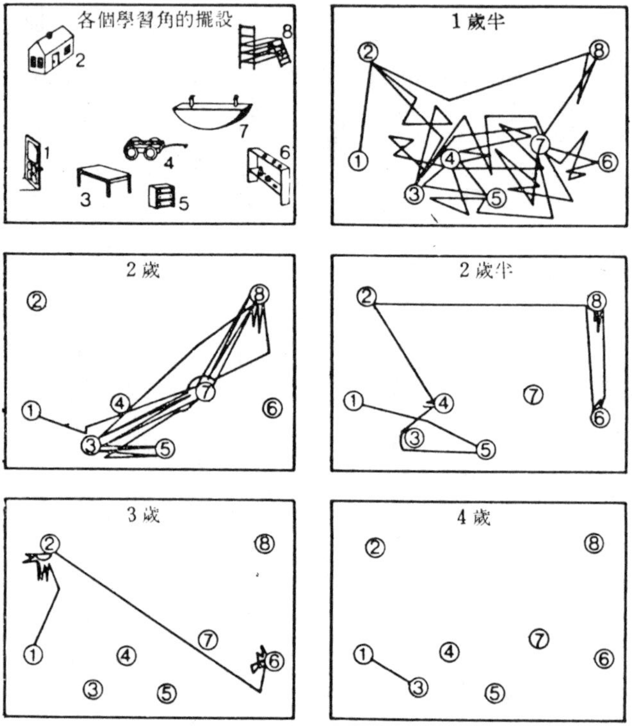

圖　三

不同年齡的小孩在幼兒園七分鐘的活動情形

要把東西裝湊起來。他愛看圖畫書，特別是機器、工具、卡車和救火車這一類的書籍。有的孩子對於他所看到的，可以講得很多，但是，較不成熟的孩子對圖畫書可沒那麼大的興趣，也較難用語言把他所看到的表達出來。

這個年齡的孩子能夠很專心地用視線來追隨一個移動物。畫圖的時候，他能將水彩塗在紙上，而不像以前，弄得滿地都是。那是因為他在視覺上的發展與成熟度，幫助他看清了那裏是界限。三歲的孩子與眼科檢驗師合作得很好，他能正確地說出視力表上的符號方向。如果你覺得他好像有點兒鬥雞眼，那就應該趁早請專家做視力檢查。

●協調適應方面

三歲的孩子有許多事需要靠高度的手眼協調能力。他可以用九塊積木來搭建（當然，這時他還需要用雙手來穩固它），他也能用三塊積木模仿範例搭成「品」狀橋。六個月後，他能用十塊積木建塔，而建「品」狀橋時，也不需要有個模型讓他仿建了。（請見第七十四頁圖四）

三歲孩子有仿畫圖形和十字的能力。如果你畫給他看的話，他也會試著畫「人」，但是看起來並不像。如果你給孩子一張只畫著頭部的「不完全的人」的圖畫，叫他繼續完

成的話，兩歲半的孩子只會拿起筆來亂畫一番；三歲的孩子會加畫手腳；三歲半的孩子則會加上手部或頭部缺少的地方。（請見圖五）

現在，小肌肉的發展使他有了相當的抓握能力，他能輕易地拿起小東西來，使用蠟筆時，也能用大拇指握著筆的一邊，而其餘手指分執另一邊。他握蠟筆的方法，很像大人寫字的模樣，把支點放在大拇指與食指的交合處。他的動作雖然有點笨重，但已經不像以前要牽動整個手臂了。有時候，他也會用那隻不慣用的手拿起東西，再換到慣用的手。

如果拿給他三塊基本形狀的積木（圓形、三角形和四方形），讓他放到有這三個形狀的保利龍洞板時，他會毫不猶疑地完成。但是，如果你轉變了保利龍板的方向，他可能第一個形狀會試錯了，但是仍會滿容易地把它完成。

三歲孩子的手的動作已經很靈巧了，他能自己吃飯，而不弄得滿地狼狽；他也能兩手拿起水壺，將水倒到玻璃杯裏；他能自己脫下褲子、解開大釦子（但還不能夠扣上釦子）；在穿鞋帶時，他常常手一拉，就把帶子整個地抽出來。

●遊戲方面

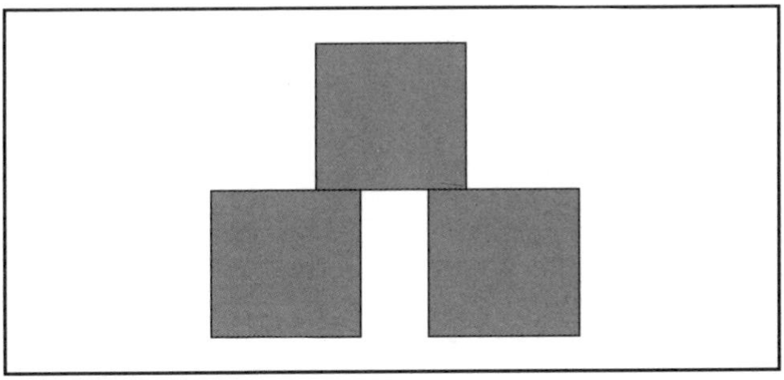

圖　四

圖　五

三歲的孩子雖然在小肌肉方面頗有可觀（也就是他手指的使用日趨靈巧），在另一方面，他仍然喜歡玩「大件」的東西。譬如說，他愛玩大型積木，把積木堆高、搬運、搭建成真正的建築物，並且給它們一個富麗堂皇的名稱（雖然看起來並不那麼起眼）。他也會把積木與小汽車、小火車合起來一起玩，變成車站、橋、車庫等等。有時候，他也拿積木來玩想像遊戲，甚至有時候他把積木堆高，攀爬上走，自稱「山中之王」。

和以前一樣，三歲的他喜歡玩沙，作沙糕、餅乾、隧道、街道；他也愛把泥巴與水混在一起，拍打、揉平，作泥餅或其他東西。他喜歡做，也對自己做出來的東西洋洋自喜。任何一種「水」的遊戲，他都十分感興趣。他們喜歡吹肥皂泡泡、用水「畫圖」、洗晾衣服、放水船，或純粹潑水玩。黏土對他們也一樣有吸引力，他做出來的東西，也漸漸像他所要做的，而不只是一大糰或一個大圓餅。

三歲的孩子喜歡把大小積木合併了玩，也同時愛玩樂高類的拼組玩具。他漸漸體會到部分與整體的關係，也愛把東西湊到一起。因此，拼圖、組合玩具、裝拼玩具，都是受他歡迎的東西。

「手指畫」仍舊是適合三歲孩子的活動。不過，一般的水彩、顏料也能引發他的興趣和滿足。當他「畫畫」時，筆畫比以前更有變化，也更有規律，漸漸接近他所表達的東

西，甚至還可以看到「設計」的雛形。雖然三歲孩子在整頁的圖畫上，只見單一的色彩，既無形狀，也無構圖可言，但他已經夠滿足了。他對自己的作品有高度的佔有欲，也不喜歡和別人合用紙張、畫圖筆或顏料。

三歲孩子玩洋娃娃的遊戲時，比以前更富有想像力。以前，他只把它抱到床上，頂多蓋上被子而已，現在，他可以扮家家酒，煮飯給娃娃吃，並且把它搖入夢鄉。任何生活中的活動都可以讓三歲的孩子玩扮演遊戲，不同的孩子扮演不同的角色。事實上，戲劇遊戲和裝扮遊戲的分量已漸漸加重（再過六個月更明顯），因此，也減低了他往體能上發展的需要。

三歲孩子仍然很喜歡戶外活動。行動派的男孩要比安靜的女孩子更愛玩。有些孩子即使整天在外面也玩不厭，有的一遇到不好的天氣（比如：太冷或下雨），興致就沒那麼大了。

如果你們家有個小小的院子，那麼再架個簡單的滑梯、攀爬架，或可挖鬆的泥土，就可以讓孩子玩上半天了。當然，能帶他到海濱、野外去，更好。

●閱讀方面

書本仍舊是三歲孩子重要的樂趣來源之一。他傾聽的能力和注意力都增強了，雖然他們仍然喜歡與日常生活有關的故事，不過，他們也會想知道海邊的情形、農場的動物、各種交通工具、季節的變化、大自然等故事（尤其是動物故事，最能贏得他們的心）。

最好也是最糟糕的是，他們常常要求大人一遍又一遍地講同一個故事給他聽，直到他記得全部的情節和用語為止。你稍微改變一、兩個字，或少念了一行，都會被他挑出毛病。當然，最幸福的孩子是，自己能隨意地拿書來看，而父母親也不忘每晚講故事給他聽。

三歲的孩子開始喜歡一些簡單的猜謎遊戲，也能欣賞較為複雜的插畫，他們也喜歡「講」故事給自己或別人聽。

●音樂方面

無論孩子幾歲，他們都喜歡音樂。不過，在這個年齡，他們還不願自己獨唱，但如果有別人在唱，他會很樂意地加入合唱。他也喜歡隨著大夥兒一起跟著音樂跑、跳。不過，有些觀察型的孩子，只願意在旁邊觀察，一直要到回家以後，他才會在自己的小房

間或他認為沒人注意的地方，偷偷地練唱著。

●金錢概念方面

三歲孩子對他自己所擁有的東西，有著極大的興趣。他喜歡穿新衣服，在人前炫耀一番。有些孩子也已經能分享玩具了（至少不像以前那麼苦守著它們）。大部分的孩子對錢會有些兒興趣，有的愛把錢放到儲錢筒裏，不過，他們還是無法了解「價錢」這個觀念。遊戲時用的「假錢」對他們來說，與真錢一樣有趣。

●電視方面

依據我們的調查，幾乎四分之三的三歲兒都看電視。沒看電視的最主要原因是因為家裏沒有電視。大多數的孩子都是接受家長的安排，決定看那個節目，或可以看多久。在少數極度自由的家庭中，孩子可能自己選節目，甚至用逞強、鬥嘴或吵鬧的方式，延長父母親原本容許的觀看時段。家長通常認為電視對孩子沒什麼害處，因此允許三歲兒看電視。一般說來，兒童節目和卡通片是最受三歲兒歡迎的。

●語言方面

這是個語言能力迅速發展的階段。三歲的孩子所學會的字彙已經多到讓他覺得語言的趣味性了！語言不僅有它的實用性，讓孩子表達所要的、所想的、所感受的，更進一步地讓他覺得有趣！現在，他聽得懂別人所講的「話」，也能用話來表達自己！

大部分的三歲孩子都很會說話，而且能把該說、要說的表達出來。他要什麼，就說什麼。他們會用「為什麼」、「怎麼樣」、「什麼」和「什麼時候」這些字彙。大部分的孩子愛念顛倒歌和有趣、滑稽的兒歌。兩歲多的孩子比較愛用常用的字眼，而三歲的小孩對新學到的詞彙最感興趣。

一聽到「新的」、「不同的」、「大的」、「好棒」等字眼，他就覺得有趣。有時候他玩累了，你只要一說：「來！我們來試試新的玩法！」他的興致馬上又來了。你只要說：「有意想不到結果哦！」他幾乎都會參與這些活動。他最愛「秘密」，而這些「小秘密」或「驚喜」都不必是真正的獎品。

「幫忙」、「可能」、「也許」、「猜猜看」、「需要」，都是引起他參與動機的好字眼。如果你要他與你合作的話，試試看用這兩個字眼：「要不要」、「好不好」。

有時候給他一個好的理由，他都願意做他不喜歡做的事。譬如說：「來！我們把積木放回去，才會有大一點的地方可以玩！」

三歲孩子可以毫無困難地指認圖畫書裏的人物和事情，他們可以分辨自己的性別，也能回答：「什麼會睡？」「什麼會飛？」「什麼會咬人？」等問題。大部分三歲孩子也能回答一、兩個像下面的問題：「肚子餓的時候，怎麼辦？」「好睏了，怎麼辦？」

在空間和方位的概念上，他們知道「上」和「下」，所以當你拿球要他放在椅子「上」或「下」的位置時，他能正確地做到，他們也能背誦三位數，如：三～五～八，二～六～一。

就是這樣，三歲孩子的語言能力正要振翼高飛了呢！

●與他人交談方面

一直要到三歲，孩子才能在一個同時有大人也有小孩的團體裏（比如幼稚園或托兒所），真正自由地與兩者交談。在他年紀還小一點時，他只對他要講的事情有興趣，但是在三歲這個年齡，他會注意你講的話，也急切地要回答你的問題。

和早期一樣，他仍然喜歡自言自語，用語言來強調他的動作。比如，他騎著一部腳

踏車時，口中會喃喃地念著：「車子開來了喔！現在轉個彎，開快點……，哇！來個緊急剎車吧！」

他通常使用簡短的句子來告訴你他剛完成或即將要做的事，他所使用的語言仍在強調他的所作所為，例如：「我要做一隻毛毛蟲。」「我在幫娃娃洗澡。」或者是：「我剛剛玩過積木了！」「剛才我看到一個人走進教室喔！」

三歲的孩子仍舊需要大人的協助，比如，他會說：「你陪我去。」「幫我把房子蓋好。」相反地，他也會表達他的獨立自主性：「我長大了，我會自己剝開。」或：「我要自己做！」同樣地，他也常常愛炫耀自己的成長：「她是小妹妹，我以前和她一樣，現在我長大了！」「小寶寶才不會這樣做呢！」「我自己會穿圍兜兜。」

他們也愛談論自己想像的遊戲：「我是隻不會咬人的狗。」「我是隻小貓咪，現在正在睡覺。」他會質問事情的來龍去脈，比如：「小琪去那裏了？」「他為什麼哭？」「這張小床是我的，小時候媽媽讓我睡小床，現在我睡和姊姊一樣大的床。」小女孩也愛談論自己的家人和父母親：「昨天，我爸爸幫我洗澡，還陪我看電視。」小男孩愛誇張自己的能力：「看，這是我自己做的飛機。」「我本來吹了一個大泡泡，被家宏弄破了！」

三歲孩子與大人的談話則還保持「自我講述」的程度，但他偶爾也會回答大人的問

題。和半年前最大的不同是，在一個團體裏，他不會只和同齡的孩子說話，他和輔導的大人也能津津有味地交談。談話時，是雙面的溝通，而不是只有單方面的傳遞訊息。當然，「單向講述」的情形還會有，比如：

1. 對自己擁有的東西作聲明——

「這是我的，你走開！」

「別碰我的彩色筆！」

2. 命令別人——

「老師說東西不能這樣放！」

「頑皮鬼！」

3. 侵略的行為逐漸減少，請求的語氣也較以前溫和——

「好，你先玩，再來要輪到我喔！」

「現在我要用，用完了，再給你。」

4. 請求加入活動——

「我可不可以和你們一起玩？」

5.排斥性的口氣也偶爾會有，到將近四歲時更明顯——

「你們都不准進來！」

6.和其他孩子玩遊戲時——

「我做你家的小狗狗。」

「我們假裝這是一張床。」

7.在兩、三個人扮家家酒時——

「佳佳，你明天來我家玩，順便帶你的小腳踏車來喔！」

8.開始把自己的成品拿給其他的孩子看——

「你看，這是我做的餅乾，軟軟的。恬恬，你摸摸看。」

在雙向溝通的談話中，雖然內容與上面的差不多，但是另一方一定有回答。比如在玩家家酒時，這樣一來一往的談話方式，會因孩子的加入，而變得多采多姿。有時候孩子對別人的批評，也能當做笑話，自己重複地喃喃幾句，然後大笑一聲。

●其他行為方面

語言的能力在這段期間十分地突出，因此，一般三歲的孩子不需要再加入情緒或肢

體來輔助他的表達（比如摔東西、大哭、打人等），發脾氣的情形也愈來愈少了。

在研究當中，我們對每個年齡層的孩子都作過仔細地觀察，我們發現，三歲的孩子開始運用語言來拒絕的次數，多於其他的方法。不過，這並不是說三歲的孩子不會用摔東西、大哭、離開等方式來表達他的不悅。雖然他常常只是說了一句：「不要！」就足足表達他的意願，但是如果你和他「打打交道」，他有時也會勉強做他不喜歡做的事兒。

到了三歲半，口頭的拒絕則遠超過其他行動的表示。這期間最大的差別是，三歲半的孩子不再用「不」或「不知道」，而是進一步用「我不會」或「你去做」來表達。

三歲半到四歲

●動作方面

三歲的孩子在大肌肉動作上是穩定而協調的，他的手、手臂、眼睛和肢體的運用都很靈活。從理論上來講，三歲的孩子如果動作如此協調，那麼三歲半應該會更穩重、安定了。

事實並非如此。前面我們曾經提到過兩種互相牽制的力量，稱為「交叉力」（inter-weaving），在孩子成長的過程中，這兩種力量也交互的出現。三歲時，促進大肌肉發展的力量較佔優勢，因此，孩子的動作較為協調；到了三歲半，這種穩定的力量卻消失了。

在大動作的表現上，三歲半的孩子是不安定、不協調、橫衝直撞的，就好像是在能力延伸線上，中間突然斷掉似的。這種因為伸肌（extensor）與屈肌（flexor）兩種力量的不協調，呈現在三歲半孩子的小肌肉運作上，使得他因而常常跌倒、摔跤。

有些媽媽看到孩子的表現，以為孩子脫軌了，不然，怎麼他在繪畫上，一改以前清晰、大膽的線條，而以細微、波紋似的線條來取代？甚至在語言能力上，三歲半的孩子也出現這種暫時性的「萎縮」，而有口吃的現象。同樣的，他的視覺機能伸展到空間的遠方，卻也同時往近點收縮，造成中途間斷的現象，因此，他常說：「我看不見！」也常眨眼眨個不停。

緊張的氣氛節節升高，除了眨眼、口吃外，還有咬指甲、吸吮手指、挖鼻孔、摩擦生殖器官、咬衣角、流口水、抽筋，和伊伊哼哼地鬧著不停等行為。事實上，「伊伊哼哼」是三歲半孩子的特色之一，也是惹人討厭的行為。我們可以引導孩子，把心中的感

觸用語言或唱歌的方式表達出來，否則，孩子很容易被自己伊伊哼哼的聲音控制住，逐漸養成習慣。

動作的不協調同時也引發了三歲半孩子情緒上的不穩定，因此，在缺乏自信心的情形之下，他會請求你的協助。比如：上下樓梯時，雖然有扶手可以支持他，但他還是會要求：「媽媽，牽我。」

在小肌肉方面，他對手的控制不如以前穩定，同時，他好像暫時對空間的概念有些兒混亂。以前，他很容易地把三塊積木搭成品狀，現在，他不能控制最底下那兩塊積木的距離，因此，頂端的那一塊也就疊不穩了。我們曾經提過空間延伸上「中間點」的問題，在這兒，也可以說是這個「中間點」在作祟。幾個月前，他能夠很輕易地用十塊積木堆建搭屋，現在他那雙顫抖的手卻不能把積木堆高起來。

雖然三歲半孩子的動作是如此地不穩定，令人難以相信的是，他在技巧和效能上卻較以前進步了，因此，他能跳得更高、更遠；也能一步一階地上下樓梯。他喜歡跑跑跳跳，能作雙腳踏和單腳踏的動作。他在玩球的技術上也進步了，他愛和別人玩「丟、接」球的遊戲，也愛騎腳踏車到處跑，尤其是故意地去碰撞其他騎車的小朋友。

●視覺方面

從成長的觀點來看，三歲半到四歲這段期間，是孩子的另一個轉變期。孩子變得十分地敏感，他在行為上常有不安的感覺，你常常可以聽到他說：「不要看我！」

手眼的協調、肢體的配合，以及視覺的判斷力，全都好像出了差錯。你會發現，三歲半的孩子在動作的搭配上，常常慢了半拍，眼睛的轉動也是一樣。有時一隻眼睛會轉得太近，而像鬥雞眼似的，但是，在視覺上，他又較能注意到小地方（特別是他喜歡翻閱的書），正因為他全神投入地在「看」書，而視線卻常在書上的小路「散步」著，所以，東西明明在他前方，他也會對你說：「沒有呀！××東西在那裏？」

作視力檢查時，成熟的三歲半孩子比以前更能專注地說出圖案的方向。你拿出兩個三稜鏡給他看，問他說：「你看到幾件東西？」他會很肯定地說：「兩個。」這表示他兩眼能夠同時一起看東西。因此，這時候正是作視力檢查的好時機，同時，也讓一些父母親對孩子眨眼或鬥雞眼的現象有點了解——那只是成長過程中的短暫現象而已。

能夠依照一般成長進度長大的孩子，到了這時候，已經能遵從指示，隨著物體的移動，輕鬆地使用眼力了。他們能注意地看書、認真地聽故事，也愛到戶外做大肌肉的活

動，比如：玩球、盪鞦韆、玩積木、爬攀爬架、騎腳踏車等。

●協調適應方面

雖然三歲半孩子的大肌肉及小肌肉的動作不穩定、不協調，但是，在「技巧」上，他卻是進步了許多。前面提到他在搭建積木時，常顯得笨手笨腳的，但是，現在，他能依你的模式來搭建積木，不必一步一步地指導。對玩具的玩法，三歲半的孩子也更上層樓。

他能分辨六種幾何圖形；自己吃飯時，也不會弄得亂七八糟；倒茶倒水的能力也比以前進步多了。

在繪圖方面，他能將「不完整的人」（請見第七十四頁圖五）增添手和腳，而不只是加上手臂和腿而已。當然，當他即興地畫人時，就不會那麼完整了。

我們曾提到三歲半孩子手部的穩定性不夠，所以他在小肌肉的控制和操作上，都沒有什麼顯著的成果，遊戲的方式也與半年前沒什麼兩樣。只是，他與玩伴之間的關係更比以前密切，他對「人」要比「物」來得有興趣多了。

值得一提的是，他不僅能穿珠子，而且還能依顏色或形狀來穿珠；他也能用粗線或

細尼龍繩來穿小段吸管，做成項鍊或花環，當然，他最愛的，仍然是簡單而有趣的沙土遊戲。

●語言方面

三到四歲是幼兒語言能力急速發展的階段。當然，到了四歲，他的語彙會明顯地增加，但是沒有一個階段的語言，能像這個時期那樣，內容豐富。這是因為語彙的急速增加，讓孩子對它發生了興趣。

他們愛玩語言的遊戲，愛造新的字彙，也愛念荒唐的兒歌和顛倒歌，「秘密」、「小禮物」、「不同」等字眼，更能引起他們相當的興奮，在講「秘密」時，他們甚至會把聲音壓低下來。我們可以這麼說：「兩歲的孩子收集字彙，三歲的孩子使用字彙。」

在三到四歲之間，孩子會使用不同的詞類，也開始有文法的意識，他會使用助動詞和否定句。

當他情緒穩定的時候，你可以和他談論事情。和三歲一樣，如果你能鼓勵他，或是給予正當的理由，他通常會勉強自己，去做他不太甘願做的事。事實上，當他情緒好的時候，他可是滿講理的。

這個時期是鼓勵孩子看書、聽故事的好時候，許多孩子能坐上二十分鐘，靜靜地聽你講故事。講完一段，你可以停下來，問他問題，或讓他看著圖，自己發揮。他們最喜歡動物擬人化的書籍。

三歲半的孩子不僅在語言的使用上得心應手，他同時也發現，語言是「發現」與「學習」的工具。他們開始問：「為什麼？」「怎麼樣？」「有什麼？」「什麼時候？」三歲半到四歲是最好問的年齡。你得用你的常識來判斷孩子問題的真意，如果他真的是要追根到底，你不妨詳細地解答；如果他只是在玩語言的把戲，比如你說明了後，他又問：「為什麼要刷牙？為什麼要乾淨？為什麼要有潔白的牙齒？……？」時，你就適可而止。

由於空間概念的加強，三歲半的孩子能依照著你的指示，把球放到椅子上，或椅子下，他也能正確地回答你下面的問題：「肚子餓了時，你要怎麼辦？」「你很睏時，該怎麼辦？」

我們前面提過，三到四歲時語彙增加得十分快速，另一方面，他的語言能力也顯現在句子的長度和句子的結構上；他也能綜合所見、所聞，做一個結論。他在遊戲或操作玩具時，更能自由地將語言融入動作中。事實上，在扮演遊戲時，一塊簡單的積木，就

可以讓他憑著想像力，變成各式各樣的東西，而這種想像力，你可以在他的自言自語中發現到。

孩子究竟在這個時候擁有多少個字彙呢？沒有人真正統計過。不過，我們可以這樣說：「三歲到三歲半大約是一〇〇〇個字左右；三歲半到四歲大約是一二〇〇個字。」

在三歲半時，孩子可以回答八個「什麼會××（動詞）」問題，比如：什麼會哭？什麼東西會破？什麼動物會跑？……。到了三歲半，他可以回答到十二個問題，他也至少認識兩種顏色的名稱。不過，孩子對顏色的辨認能力因人而異，有的三歲女孩子就認識所有的顏色，包括了淡紫色、粉紅色，而有的五歲男孩子卻只認得紅色和綠色。

從三歲起，你可以試試和孩子玩猜謎遊戲。孩子可以猜猜東西的名稱、形狀、大小或顏色，他能說出兩個東西中，那個大，那個小。到了三歲半，許多孩子都能使用形容詞的「最高級」，比如：最高、最大、最硬、最好等字眼。

雖然有些孩子到了三歲半，講話還帶著小時候的發音，比如「ㄔ」發「ㄕ」的音。有些家長對孩子發音不準確十分地緊張，覺得孩子的語言有缺陷。如果你的孩子有發音的毛病，不妨請語言診療師診斷一下。不過，大部分的情形都不嚴重，而且，隨著年齡的增長，這種現象會自然地消失。

另外，口吃也是頗令家長們擔心的一個問題。不過，這也是孩子成長過程中的一個自然現象，尤其是一些很早就學會講話的孩子，有的孩子甚至在兩歲半就有口吃的現象產生。通常，三歲半的孩子因為肢體各方面的不協調，所以很容易有口吃的現象。許多語言專家都勸家長對這種成長過程中所產生的自然現象不要太過緊張，也不要刻意地去矯正孩子。

我們不鼓勵家長對孩子說：「慢慢說，再說一次。」我們覺得，你越不去注意它，這些缺點消失越快。你應該重視的是，仔細地聽他在講什麼，這樣，孩子講話就不會那麼吃力，也就減少口吃的機會了。

我們可以從孩子講話的聲調中，感受出他的不安和焦慮。當他玩得痛快、萬事如意時，他的聲音強而有力；但是如果面對一個較大的壓力，他的聲調便會提高；當他惹事時，他說話的聲音可能會壓得很低呢！

有時候，家長會以為孩子的聽力有問題，因為他好像聽不見你講的話，最最奇怪的是，當你小聲講話的時候，他又聽得很清楚。事實上，這個年齡的孩子對許多聲音都有恐懼感，比如救護車的聲音或是打雷的聲音，突如其來的大聲音，也會把他嚇得半死。

●與他人交談方面

在這個階段，孩子與別人的談話方式又有了一個大改變。和半年前一樣，他和其他孩子交談，也與大人交談，但是最不同的是，他會對一群孩子說話。另一個改變是，他自言自語的現象減少了（這一方面也是因為他獨自玩的機會愈來愈少了）。孩子也許會重複大人跟他說過的話，比如：「小心哪！我不要爬上去了！」但是，他有時候的自言自語雖然不是對著大家說的，卻也是想像別人在旁似的。

和三歲時候一樣，他也滿能夠與老師講話的。不過，他會進一步地為自己的行為辯白，比如：「我不讓他玩，因為他常把別人的東西弄破。」有時，他也表達他自己「高人」的情操：「那裏不安全，我才不要去呢！」或者試著與大人爭論：「如果我去了，他就不會哭了！」

孩子們之間談話的內容十分地豐富，談話的方式也很流利。他們對自己擁有物的聲明，仍會出現在對話中：「這是我的球，你走開。」「這是我的彩色筆，你不要用。」但是，最明顯的進步是，他現在能與別人「商量」了。比如：「讓我先畫，再給你畫，好不好？」「你拉一邊，我拉另一邊。」或者他會提議：「你先玩別的。」

有時候，孩子會提及輪流，或請求別人的允許，比如：「我可以到你家玩嗎？」「等一下輪到我喔！」有的孩子在扮家家酒時，還會假裝用紙片「炒菜」，然後叫大家來「吃飯」。

語言的使用在扮演遊戲中最為突出。像：「我是一隻大飛機！」「來喔！來坐電梯喔！」「小宏，你當病人，我當醫生。」這種想像遊戲可以玩很長一段時間，內容也變化萬千，十分精采。因此，三個女孩子在玩扮家家酒時，會有這樣的對話：「東西都夠了嗎？」「還沒！我還要去買魚。」……「好！我買回來好多魚，還有香蕉。」「我們來煮魚。」「好！把它拿來炒一炒。」……「幫我抱我的寶寶，我要去買菜。」「好！我來幫他洗澡。」……。

有些女孩子對小男生會產生好感（這時期的女孩子要比男孩子大方多了），她們會說：「我要和凱凱坐。」「我們去看書！」

●其他行為方面

三歲半的孩子，會用各種不同的方法來表達他不贊同或拒絕的心意。比如，他常會「釘」在一處，動也不動一下，或是說：「我不要！」「我不去！」「才不要呢！」只差

一歲半～五歲孩子拒絕合作的各種行為表現

五種不同行為的比例分配

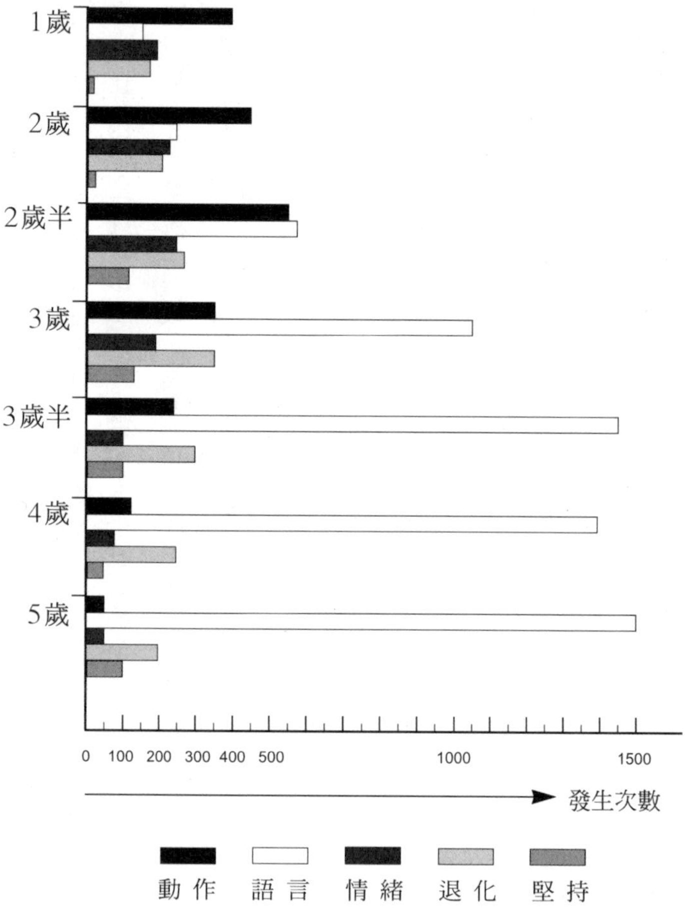

圖六 一歲半到五歲孩子拒絕合作的各種行為表現方式比例圖

沒大哭大叫而已！

但是，在我們的實驗觀察中，我們很客觀地對各個年齡做公平的比較，我們發現，當孩子用語言來表達拒絕的方式越來越多時，其他的方式就越用越少（包括動作、情緒，或態度），其比例大約是二比一。（請見第九十五頁圖六）

在測驗室裏，我們發現，一般三歲半的孩子能很安靜地坐著，如果他坐不住了，他會跟施測者講，而不是用掉眼淚、敲桌子或拳打腳踢的方式來表示。

第五章　三歲孩子的慶生會

一般說來，三歲是個友善、和氣、合群的年齡。雖然他還不能像大人一樣有什麼社交活動，但是他喜歡與好朋友一起玩。

三歲的孩子喜歡「慶生會」，雖然他還不太懂得「慶祝」的意義，也不要求很多。但是一個簡單的慶生會，會讓別的孩子有機會到你們家來玩。因此，準備一些簡單的點心、飲料、玩具和小小的禮物是最理想的，不需要特別為他們設計什麼遊戲或節目。

孩子們的個性差異極大，一些個性較野或內向的孩子需要有大人的陪伴，隨時給予安撫，若是孩子間起了衝突時，也可以立刻化解糾紛。由於孩子能夠參與團體活動的能力差別甚大，因此，在安排慶生會時，也要特別注意到這一點。也許較害羞和過分好動的孩子可以晚一點再參加這一類的活動。

大部分的媽媽都知道，在一個新的場合裏，三歲的孩子通常都會玩得很瘋，他們不會把最好的一面表現出來。因此，當孩子們有了爭吵，或不愉快的情形發生時，媽媽們不會把這單一的事件與家庭教養扯在一起。有經驗的媽媽會及時制止孩子們的爭吵，並且安撫那些哭鬧的小朋友，因為，慶生會的場所並不是教訓孩子最好的地方，所以，能及時化解紛爭，要比「公平」來得重要。而讓一個不太講理的孩子轉移注意力或興趣，也要比當場處罰他來得恰當。

成功之鑰

要幫三歲的孩子開一個成功的慶生會，最重要的是，讓活動緩慢的進行，不必太有結構性。事實上，三歲孩子們的期望也不會太高，他們想像的「慶生會」和大人的不太一樣。除了害羞和特別好動的孩子可能需要媽媽陪著之外，其他孩子的媽媽則可以到結束的時候再來接孩子。事實上，沒有媽媽的陪伴，三歲孩子反而會玩得更痛快。

●小客人人數

五、六個小朋友，有男孩，也有女孩——這是最理想的。

●大人人數

兩、三個大人就夠了（包括主人或女主人，和一兩位小朋友的媽媽）。

節目安排

十一點半到十二點：

小朋友陸續來到。讓他們自由地玩玩具，或圍著壽星的禮物，猜猜盒子裏裝些什麼東西。這時，擺置餐桌的房間門最好關上，否則，大家自由地出入，會降低趣味性。

大部分的孩子都會帶一份禮物來，有的家庭習慣等孩子們都到了，才將禮物一一打開，不過，這並沒有一定的規矩。小客人們最感興趣的，還是在遊戲室裏自由地玩。不管他們是單獨玩也好，三三兩兩地玩也好，媽媽最好不要干擾他們，只要在旁看看，找話題與別的家長聊聊天，就夠了。

十二點到十二點半：

點心時間。在另一個房間，餐桌已經擺置好了。桌上放有紙餐具、紙杯，及紙巾，每個紙盤上都放了一些糖果。同時，準備幾個小籃子，在孩子們就坐以前，讓他們把手上的小玩具（譬如：小車、小玩偶）放在各自的小籃子裏。屋子裏還可以事先用汽球布置一番。

小朋友圍著桌子坐在小椅子上，點心的種類不一定要多，小三明治及牛奶就夠了。有的孩子也許坐不一會兒，就吃完走開了。你別擔心他吃得不夠，果真不夠的話，切蛋糕的時候，他一定還會再回來的。切蛋糕的儀式一定不能免，每位小朋友只要一小片蛋糕就夠了。如果孩子挑嘴，只愛吃鮮奶油的部分，不愛吃蛋糕，不需要勉強他。幫忙的

媽媽們也可以在旁喝杯咖啡，吃一份三明治。

十二點半到一點：

遊戲時間。這時候可以拿出事先準備好了的第二批的小禮物（這些禮物可以用籃子裝著，上面都綁上蝴蝶結），讓孩子們自己選。然後，再玩玩小木馬、拼圖或畫圖。

一點：

孩子們的媽媽來接小朋友了。如果是冬天，先將孩子們的大衣拿出來，一一幫孩子們穿上，同時，把裝飾的汽球拿下來，一人一個，讓小朋友帶回家，這個最後的禮物（汽球）會讓孩子在高興中結束慶生會。

費用

慶生會的花費相當有限，主要是冰淇淋、蛋糕、小禮物等的費用。

注意事項

1. 不要讓慶生會變得太正式，也不要特別玩遊戲。請記住，三歲的孩子在輕鬆的場合中表現最好。
2. 別忘了，讓怕羞或好動小朋友的媽媽陪在一旁。當爭吵發生時，把孩子暫時帶離爭吵的團體，不要太顧忌「公平」與否，這不是教訓孩子的機會。
3. 不必刻意去接待客人，孩子們在慶生會時，不會特別注意到禮節。但也別忘了，小禮物會增加孩子的參與感。

第六章　生活常規

和其他年齡孩子一樣，三歲孩子在前半年的這段時間，由於他對大人的興趣以及急於取悅別人的心態，他很樂於參與每天的瑣事。但是，到了三歲半，他變得倔強異常，事事都得照著他的方法做，所以，每天例行得做的事，會讓他感到很不愉快。曾經有一個三歲半孩子的媽媽這麼說：「我真不知要怎麼過日子，每天三餐還得和他奮鬥半天。」

不管如何，每天例行的事如：穿衣、刷牙、餵食、洗澡、上床等，總是得做，孩子知道你會在意、會關心，所以他是佔上風的。對許多媽媽來說，「知道」並「學習」一些小技巧，對孩子或媽媽本身都有點幫助。

飲食

三歲孩子的胃口相當好。許多媽媽都覺得，孩子吃得滿好的，並沒有什麼特別的喜好，所以，如果你特別要他吃點什麼的話，他是很少拒絕的。

肉類、水果、牛奶和甜點，都是他最喜歡吃的，蔬菜則還需要慢慢勸導。如果孩子真的不喜歡某一種蔬菜，千萬不要勉強他。

孩子使用餐具的能力，也逐漸地成熟。他使用大拇指和食指的能力也漸強。同時，

女孩子要比同年齡的男孩子進步一點。男孩子握湯匙時，因為手掌心向下，所以手肘會上下擺動，總是讓坐在旁邊的人頗受「威脅」。

對三歲兒來說，用湯匙來舀東西並不難，他只要把湯匙頂端壓下，往外舀起，便可以吃到東西了。由於三歲孩子的手腕控制靈活，所以也很少會有溢出的情形。有的孩子比較喜歡用叉子來吃東西，尤其是吃肉時。

和大人一樣，他們不需要另一手的幫助，就能握住杯子的把手，把杯子舉起來。但是在喝最後一口時，他仍然會把頭向後仰，這個動作一直要到五歲左右，他才有能力用手把杯托起斜舉而不再仰頭。

三歲的孩子，和媽媽一起用餐時，能自己吃得很好。有些孩子甚至能正正式式地坐在餐桌上，與大人一起用餐。但是大部分的家庭都會把「讓孩子坐到餐桌上」看成一件「大事」，因為三歲孩子不太靈活的動作，常常會把東西弄得亂七八糟，對他不喜歡的食物，他有時候還會有拒食的現象。為了避免影響氣氛，尤其是爸爸在家吃晚餐的時候，建議最好先讓孩子吃飽，免得他在餐桌上惹麻煩。

有時候我們真是不懂，為什麼有那麼多家庭要在餐桌上與孩子苦戰。事實上，只要稍微計畫一下，事先讓孩子吃飽，就可以省許多事。如果孩子硬是要與大家一起在餐桌

上進食，奉勸媽媽們最好和孩子坐在一起，以便照顧他。至於爸爸呢，最好也不要在這時候要求三歲孩子的餐桌禮儀。

不幸的是，孩子到了三歲半時，他連自己吃飯都會弄得很不愉快，因為他事事都要按照自己的做法，連吃飯也不例外。他會挑三揀四的，不是食物不合胃口，就是東西放得不對勁。比如他要你把三明治切成兩半，你打橫的切一刀，他卻要求你直直地切，當你直直地切時，他就又哭又鬧，因為三明治已經成為四小塊，而不是他想要的兩塊了。

有時候，別人來幫忙這些生活瑣事要比媽媽本人來得有效、合適。如果非得媽媽本人來做的話，你就不要與孩子「鬥志」，要儘量表現出很輕鬆、不在意的神態，讓他覺得你並不在乎他吃什麼、吃多少，甚至怎麼吃的。

儘量在你的能力範圍內，調整食譜，多做一些孩子喜歡的菜餚，避免強迫孩子吃他不喜歡吃的食物。同時，烹調時，儘量讓食物看起來有趣些，如果孩子特別喜歡吃某種食物，而且每天都要求吃同一種食物，就讓他吃吧！這不會對他的健康有所傷害，除非他對這種食物過敏。

不要一下子給孩子太多東西吃，也儘量不要去干涉他進餐的儀態。如果他每每都要與你做對，那你不妨在他的桌子上放好東西，告訴他需要人幫忙的時候再叫你，然後你

離開，到另一個房間去。

如果他硬是不吃，硬是要與你抗戰到底，那你不妨冷靜地告訴他，再過幾個小時又是吃飯的時候了，要吃不吃，是他的事。如果你在態度上讓他知道，你根本不想與他爭論吃飯這件事，他就會自覺沒趣，那麼你就是贏家了。

雖然我們不想在這兒討論飲食營養與健康的重要，也不想讓媽媽對孩子的飲食習慣感到緊張，不過，我要特別提醒家長的是，有些東西孩子特別喜歡吃，但實際上對健康是有害的，這就不能不有所行動了！

很明顯地，有些東西，孩子一吃就會覺得不舒服，或有過敏的現象產生，你當然要避免讓他吃這些食品。但是，依據一些醫生的研究，有些東西並不是有這些明顯的生理影響，但是卻會大大地影響孩子的行為。

無論是食品、飲料或者是吸進去的氣體，有些會在無形中影響孩子的行為，因此，像頭暈、疲倦、暴躁、過動這些行為，可能都與孩子的飲食有關。

雖然有些有害的食品並不會有立即的反應（特別是人工色素、人工香味料、零食等等），但卻都有可能產生上述的情形。

如果你的孩子看起來健康、活潑，舉止還得當的話，那當然不用操心。但是，如果

他的舉止有點不尋常，你不妨也想想看孩子的飲食習慣，也許它是根源呢！

睡眠

要一個兩歲半到三歲的孩子上床睡覺並不難，主要是因為媽媽對那些上床前的瑣碎儀式（比如：刷牙、講故事等）都已經駕輕就熟了。大部分的孩子只要你抱抱他、親親他，說聲晚安，他就會心甘情願地讓你走出房間了。

如果孩子表現出反抗或不願意的姿態，媽媽只要閉上眼睛說：「我不想看到你這個樣子，快把被子蓋上。」孩子通常都會很聽話的。但是到了三歲半，如果白天的糾纏把母子倆都弄得很不愉快的話，最好是由第三者來幫助孩子上床睡覺。

許多三歲的孩子可以一覺睡到天亮，很少會有麻煩的。有趣的是，如果孩子有什麼困難的話，那不是上床的問題，而是夜裏的問題。在三、四歲這一年當中，花樣可真不少，包括：驚醒、不想睡小床、上廁所、下樓找玩具、到冰箱找東西吃、到客廳看書等等。說不定那天早上，你會發現他睡在客廳的沙發上呢！有些孩子一醒來，就要往爸媽的大床上擠，或者堅持睡在爸媽房間的地板上。

既然大家都知道很難強迫孩子睡覺，所以你最好接受這種「半夜漫遊」的情形。你不妨在孩子的房間裝著小夜燈，準備一些玩具或是小食物（如：葡萄乾）放在床邊；如果他真的非亂走不可，你也可以輕輕地綁住門柄，讓他叫你。

至於孩子是不是可以睡到你的床上的問題，專家們各有不同的意見。如果孩子的適應力強、個性開朗、不固執的話，讓他留下來睡，沒什麼害處。如果你的孩子很難改習慣、個性內向、舉止又保守的話，你最好不要隨意製造開端。對大部分的孩子來說，如果他堅持睡你的床，你不妨告訴他說：「現在可以，不過，等媽媽要睡的時候，我要抱你回去自己的床喔！」一個個性平易的孩子半夜跑到你床上的情形不難解決，但是，對個性強的，你可能要花點工夫了！

有很多三歲的孩子，不僅能一覺到天亮，而且也不用抱起來上廁所。有的父母親在自己要上床前，會抱著孩子去上廁所，讓孩子安睡到隔天早上，這樣就不會被孩子半夜說要上廁所吵醒。至於是不是該叫醒孩子，那就見仁見智了。但是我們發現，孩子不完全清醒的話，比較容易再度入睡。

如果你抱他上廁所後，隔天早上的尿片還是濕的，那就不要去打擾他的睡眠了！這時候，一件好的尿褲可能才是他最需要的。

少數的孩子會說他「作夢」，這些夢沒什麼干擾。極少數孩子會有夜驚或是有惡夢的經驗，如果孩子在半夜裏哭醒，通常都不難安撫的。

大部分的三歲孩子很早就起床了，而且早得離譜。他們起床後，有的會自己玩，等候其他的家人醒來；有的則不然。所以，你可以在他的房間內準備一些小東西（不論是吃的或玩的），有時候也能讓他們「忙」到家人醒來。當然，如果他是「好孩子」，不來吵你的話，隔天也才會有「小禮物」，否則就沒有了！

午睡

大部分的三歲兒都只是玩玩似地「睡一下」而已，但有些三歲多的孩子則還需要睡午覺。當然，也有的孩子到了五、六歲還保持著午睡的習慣。雖然三歲兒不太熱衷於午睡，但是對大多數的媽媽來說，「午睡」卻是一個讓孩子休息的好機會。大部分的孩子會在這段時間內，乖乖地待在自己的房間，如果孩子特別地好動，那就放些書本或玩具在他房裏，以免他把房間弄得亂七八糟。

事實上，你可以和孩子一起商訂遊戲時間。特殊的玩具也可以在這時候拿出來玩。

如果你有鬧鐘或計時器的話，還可以幫助孩子了解，鬧鐘一響，這段「午睡」或「休息的時間」就結束了！

大小便

大多數的孩子到了三歲，都能在白天保持「乾淨」的褲子，只有少數得等到三歲半左右，才會處理小便。

許多三歲孩子都能自己處理大小便，或是需要媽媽少許的幫忙。他們大小便的時間滿穩定的。這一次小便後到下一次上廁所的時間，也拉長了。但有少數的孩子還是會有「意外」發生，當他不小心「尿出來」時，他通常都會要求馬上把褲子換掉。

但是，當孩子對日常生活的事逐漸能夠獨自處理時，他對大人「口頭」上的依賴卻還存在，因此，一個訓練得好好的孩子，仍會跑來告訴媽媽，他需要上廁所了；大小便後，他也會告訴媽媽，他上好了！

大部分的孩子都能在午睡時不尿濕褲子，同時，晚上你即使不抱他上廁所，他也能持續到隔天早上。但是萬一他偶爾還是尿床的話，你不妨替他穿上尿褲，省得常常要洗

床單、洗被子。

當家中新添了小寶寶，有的孩子會退回到「尿濕褲子」的階段，你千萬不要小題大作地教訓他或處罰他。把它當作自然的現象，過一陣子就會自然消失的。

至於大便的情形就很不同了！大部分的女孩子到了三歲都能處理得很好，很少有「意外」的，而男孩子也漸漸地能處理這種「每天一次」的例行的事！

不過，我們很驚訝地發現，有些男孩子無法或不願意學習自己上廁所大便。當然有的是因為控制能力尚未成熟的緣故，但有的卻把上廁所視為畏途，而形成和媽媽之間的拉鋸戰。

如果你的小兒科醫生沒有給你什麼指示的話，你可以試試「鋪報紙」的方法——如果你知道他大約要大便的時間，但他不願坐到馬桶上去，你不妨在廁所地板上的一角鋪些報紙，然後脫掉他的內、外褲子，讓他在廁所玩一陣子，告訴他，如果想大便的話，蹲到報紙上就可以了。我們戲稱這種辦法是「小狗訓練法」，因為蹲著大便是比較容易的。一旦孩子習慣了，你可以換個小馬桶，讓他坐上去大便。很多媽媽試用這個辦法，都滿成功的。

有些孩子卻偏愛捉弄媽媽，等到媽媽最忙的時候，他才要你陪他上廁所。更糟糕的

是，有些故意在你忙的時候，大便在褲子裏，然後要你幫他清洗。

如果鋪報紙的方法行不通，有些心急的媽媽會逼著孩子去洗自己弄髒的褲子。這也許是個辦法，但是我們不鼓勵你這樣子來訓練孩子上廁所，除非逼不得已。

洗澡

洗澡可以說是最不用花心血的事兒，有些孩子還保留著以前洗澡的習慣，喜歡舀水澆水龍頭，或是把浴缸的塞子拔出、塞入的。不過，大部分的孩子都視洗澡是「清潔的時段」，而且也樂於自己去做。麻煩的是，有的孩子洗好了後，不願意從浴缸出來，這時，如果媽媽閉起眼睛，叫孩子給他一個驚奇，通常孩子會照著話，跳出來「嚇」媽媽一下的。

大多數的家庭習慣在睡前給孩子洗澡，這也是上床前讓孩子放鬆身心的好辦法。但是，一到三歲半的孩子脾氣很強，可能把白天的壞情緒延續到晚上，這時候，聰明的媽媽要當機立斷，偶爾一次不替他洗澡，也不是什麼大不了的事，只要他不是玩的太髒，洗洗手腳和臉部，換換內褲就夠了。

穿脫衣服

在穿著方面，三歲比兩歲半要來得輕鬆容易，因為他不再東挑西選。但是到了三歲半，他就又故態復萌，這也不是，那也不好。三歲的時候，「自己會穿脫衣服」的能力比「穿什麼」更能引起他的興趣，同時，「脫」其實也比「穿」來得容易。大部分的三歲孩子都能很快地脫下衣服，解開釦子和拉拉鍊的技術也進步不少。

穿衣服包括穿上褲子、襪子和鞋子，有時候還加上毛衣和外套。對三歲孩子來說，最難的是要他分辨衣服的前後、鞋子的左右腳，但是，他仍然會樂意試著扣釦子、綁鞋帶。「自己穿」衣服的意願和孩子的情緒有很大的關係，他有時候滿合作的，有時候卻站在那兒，動也不動。

到了三歲半，不合作的情形更為嚴重，穿衣服正是他表現「反抗」的好機會。他處處要與媽媽作對，每一件衣服都不合他的意，他「反抗」的意志力要比表現「我會自己穿衣服」的能力強得多。

幫忙穿衣服的人要把握兩個原則：速度和堅定的語氣。你可以把衣服先準備好，不

必在意他的抱怨，如果他想自己動手穿，就讓他自己來，否則，你就幫他把衣服穿上，避免脫了又穿，穿了又脫。

像其他的事情一樣，孩子專會找媽媽的麻煩，因此，由別的人來幫忙他穿衣，可能會比較好一些。

情緒的發洩

情緒的發洩雖然不是每天的例行公事，不過，我們在這兒也一併討論。

雖然你那三歲的孩子可能還要吸吮手指頭，或是抱著小被子到處走，但是基本上，他身心的緊張已逐漸地消失，再也不需要靠著外物來解除生理上的緊張了。

如果你的孩子還在吸手指頭，你也不必太擔心。依據專家的研究，如果孩子能在長第二顆臼齒以前，停止吸手指頭的話，對孩子的齒型是不會有太大的影響的。如果你還是不放心，不妨帶孩子去找牙科醫生檢查一下。同時，如果留意一下，你會發現，他吸吮手指頭的時間其實已經縮短了許多，通常只有在他餓了、疲倦或累了時，才會有吸一吸的舉動，這表示他「吃手指頭」的行為已有消失的跡象。但是，如果他白天還是吸吮

個不停，你把他的手指頭拉出來，他又立刻放回嘴裏的話，那希望就不大了。

三歲到三歲半，基本上是一個相當放鬆的年齡，但是一過了三歲半，立刻就大大不同了。孩子會感受到身心的壓力，也會有種種紓解壓力的作法，像：口吃、眨眼、咬指甲、挖鼻孔、撫摸生殖器、咬衣角或流口水等現象，有的孩子甚至動不動就咿咿哼哼地呻吟著，這些行為都可以視為是三歲半孩子發洩緊張的方法。

除了眨眼睛外，三歲半的孩子也有視覺的困擾。有的的確是因為東西拿得太近，影響焦距，因而造成視覺干擾。我們建議你，定期帶孩子到小兒眼科醫生那兒，檢查一下眼睛。

第七章 心智能力

孩子剛剛生下來的第一年，父母親最大的興趣是看著他身體的成長。他先會抬頭、坐起來、爬行、扶著站起來，最後自己走路。一直到他會說話為止，我們比較關心的似乎是他的身體，而不是他的頭腦。

但是，頭腦與身體是分不開的。孩子在第一年身體成長迅速的時候，他的頭腦其實也在進步，他所做的每件事都是與頭腦有關，尤其是許多動作，不僅僅只是單純的反射而已。孩子不需要「告訴」你、讓你知道，才表示他的頭腦在「工作」。

因此，在往後的年頭，你鼓勵、觀察孩子逐步成長時，不必特別去強調孩子認字、數數、字彙的使用等等。當然，為人父母都十分在意自己孩子智力的發展，希望孩子的潛能能夠充分地發揮出來，但是，這並不表示你就得要特別或刻意去教他讀與寫。

你最重要的工作是，提供一個豐富的學習環境。而你——孩子的父母親，是這學習環境中最重要的因素。你要用心地聆聽他說話、與他溝通、講故事給他聽、回答他的問題。帶他四處走走，讓他慢慢地觀賞四周的事物，讓他揀石頭、拾落葉或小樹枝，談談你們看到的東西。

可能的話，提供他玩各種玩具的經驗，這些玩具不見得要昂貴，或一定要有教育價值。簡單而堅固、安全的東西，像：水彩、彩色筆、黏土等，都可以培養他的創造力。

戶外遊戲器材也能幫助他大肌肉的發展。

你的孩子自然會讓你知道他的智力程度，以及他在各個發展的階段裏，最需要什麼東西。你只要從他問的：「為什麼？」「怎麼樣？」就會發覺他的興趣所在，以及你該解釋到那種程度。

雖然語言能力是孩子智力發展的指標，但是他的舉動和興趣，也可以表現出他的成熟度。比如，他特別喜愛的玩具和活動，都可以反映他的興趣何在。如果某種活動引不起他的興趣的話，你也不必硬要他去做。

只要你肯花點兒工夫觀察，每一個學前兒童都是一本有趣的書；只要你給他足夠的注意力，仔細聽他講的話，你自然會知道什麼樣的東西最能啟發他的興趣與智能。

在第四章裏，我們曾經提到三歲的孩子會說的話。在這兒，我們將討論他的時空概念、數概念、幽默感和創造力。

時間概念

從兩歲半到三歲，是孩子發展時間觀念進步最快的階段。在孩子成長的過程中，沒

有任何一個時段可以與這短短六個月的進步相提並論。他們很快樂地活在「現在」，很少提到過去或未來的事情。但是到了三歲，一般的孩子能夠很精確地說出「現在」、「過去」及「未來」的事情。有關時間的字彙，他幾乎都用到了。雖然他對「未來」所使用的字眼不很一致，但在談話中，他談到「未來」的事情，與談及「過去」或「現在」所發生的事情一樣多；對於「昨天」以及「明天」的使用也很得當。

雖然一般三歲的孩子還不會看時鐘，但是在說話中，他會利用到「時間」的字眼，譬如：「什麼時候」、「時間到了」、「這一次」、「我遲到了」、「再五分鐘」、「五點鐘了」……。在扮演遊戲時，他還會假裝看看手錶，說：「時間到了！」這是一句滿有用的話，在日常生活裏，三歲孩子常會用到這句話，比如他會問：「吃點心的時間到了嗎？」他也能接受：「時間還沒到！」的回答。

有關「過去」的詞彙包括：「去年」、「昨天」、「有一天」、「有一晚」等，有關「未來」的字彙則比如：「明天晚上」、「下次」、「明年」、「三天以後」、「今天晚上」、「等一下」、「等我長大」等等。三歲孩子使用「未來」的詞彙比「過去」多，也較廣泛，這表示他對未來的概念要比「過去」來得成熟。

雖然，他對時間的正確性還不能掌握得住，不過，他會概括地說：「每天」、「春

天」、「一個禮拜」、「每一次」、「總是這樣」、「好久好久」、「有一天」、「輪到我」等等。

在遊戲時，他喜歡用時鐘上的時間。比如，他會假裝打電話：「喂！爸爸，現在快三點了！你說你要在這個時候回家的。」或是：「點心時間到了！」「唱遊時間到了！」

兩歲半到三歲之間，孩子學會了許多不同的時間用語。但是從三歲到三歲半，他會更進一步地使用、精選時間用語。三歲半的孩子會說：「時間快到了！」「好久喔！」或是表達一個慣性的活動用詞：「每個星期晚上。」對時間的延續，三歲半的孩子也有各種不同的表達法，像：「好久、好久！」「兩個星期」，或是「一下子來兩個」。對事情的先後順序，他也有不同的詞彙，比如：「小琪，我要去畫畫了！」「我還沒做完呀！」「我先來的！」「等凱凱用完再拿吧！」「來學校以前，我看到一隻大怪手。」「先把蠟燭插好，再點火。」「明天媽媽要帶我去動物園，隔天才去買禮物。」

他們也喜歡回答這樣的問題：「你幾點上床睡覺？」「幾點起床？」「什麼時候吃晚飯？」「明天要去那兒？」由於時間的用語愈來愈複雜，有的時候，孩子自己也會弄混了，比如說：「昨天我才不要午睡呢！」

許多孩子可以正確地說出起床、吃晚飯和睡覺的時間，大部分的女孩子也能正確地

說出自己幾歲，或是舉起三隻手指頭來回答你的問題。

時間的概念對小孩子比較難，主要是因為時間摸不著，也看不見。專家們建議，如果你能把時間具體化，也許可以幫助他們建立概念。你可以買一個大型的、有格子的月曆，在格子裏貼上貼紙或畫上小圖，每一天讓孩子畫掉一小格；或是準備一個日曆，每天讓他撕掉一頁。不論是日曆或月曆，都是把時間轉變成空間，讓孩子看得見「昨天是在今天以前」、「明天是在今天之後」。

空間概念

兩歲到兩歲半是孩子空間概念進步最快的階段。他會使用許多新的空間詞彙，到三歲時也還繼續使用這些詞彙。不過，這時在使用上就比較拘謹了。像：「就在這裏」、「直直上去」。這些詞彙的變化雖然不大，但精準度比以前高。新的語彙包括：後面、角角、上面、從、旁邊、頂端、樓下、外面、那裏……。

在這個時候，他的方向感和空間感也逐漸成熟，因此他在回答問題時，雖然不一定會給予正確的指示，但是卻有相當的方向感，比如：「先在轉角右轉。」如果你問他：

「爸爸在那裏?」他不僅會說:「在辦公室。」同時也會說出辦公室的地址。

一般三歲的孩子已懂得不少,他知道鳥在空中飛、魚在水裏游、飛機可以飛上天,屋頂在頂端,有的甚至更進一步知道幾路的公共汽車到那裏。到了三歲半,有些孩子還知道自己家的地址。

三歲的孩子能聽從指示把球放到椅子上或椅子下,或拿給指定的人。當你問他睡在那裏時,他不會只告訴你「在我家」,還會更仔細地說:「在我的房間」,甚至進一步地說:「我的房間在媽媽房間的隔壁間。」問他:「媽媽在那兒做飯?」兩歲半的孩子會說:「在家裏。」三歲半的孩子則會回答說:「在廚房。」你進一步問他:「廚房在那裏呀?」三歲的孩子會說:「靠近客廳。」三歲半的則會解說:「過了客廳就是了!」一般來說,孩子的回答是從廣泛到特定的空間。比如你問他:「媽媽帶你去那裏玩?」在三歲時,他只會說:「到公園玩。」三歲半時,他卻會說:「青年公園。」

從一歲半到兩歲這段期間,如果他懂得「空間詞彙」的話,他會用眼睛朝那個方向望過去。兩歲半到三歲時,他會用手指著那個方向。到了三歲半,他會很簡短地說「在上面」,而不再加東西(如:桌子上、盒子上)的名稱。

到了三歲半,他又增添了一些新的空間詞彙,比如:中間、下面、下一個……等。

「比較」的概念也從下列用語中可見一斑：「比較大」、「最小」、「一直下去」、「再遠一點」、「近一點」。

三歲半的孩子現在可以依指示把球放在椅子的上面、下面、後面、裏或外，其中，「上面」是他最常用到的字眼。不過，當他們在玩捉迷藏時，很少孩子能夠真正地躲起來，讓別人看不到他。

在這個時候，他已經有簡單的分類概念，對簡單的圖形也有分辨的能力了。

隨著孩子的成長，他對抽象事物的理解力也逐漸地增加，但是到三歲，我們可以很明顯地看到個別差異。有的對時空的概念學得很快，也有一些孩子，不管你如何用心地教他，他總是弄不清楚。

有的孩子很有時間概念，但對空間概念卻不太行（不過，有的孩子真的缺少經驗，不設法補救的話，長久以往，就會成為一個嚴重的缺陷）。這些概念的差別並不完全與智力有關。因為有的孩子很聰明，但是他在這個時候對時空概念還是不清楚。

數概念

大多數三歲的孩子能數到2，也能依指示拿出一件或兩件東西，有的孩子則能數到5。唱數能力則各有不同。三歲孩子的活動常常會受他對數概念的牽制，比如，他要會說出：「三條橡皮筋」或「四個珠珠」才行。數概念深深地影響到孩子的日常生活，孩子也逐漸從中察覺東西與東西之間，彼此在量與數的對應。

幽默感

一般說來，兩歲的孩子比較正經嚴肅，三歲的時候好一些，不過，真正的幽默感要到四歲才能真正地顯現出來。三歲時，我們可以發現，孩子漸漸有放鬆、可笑的言談舉止，他愛笑別人，也會笑自己。

兩歲時，孩子對惡作劇或意外的小事件會放聲大笑，他也會假裝自己是小丑，故意把手套戴到腳上，大衣倒著穿……。有時候，別人不小心跌倒，撞上東西，也會引得他哈哈大笑。三歲時的幽默就不再這麼荒唐，而且他也會用言語來表現，他會和玩伴或大

人一起分享可笑的事兒，也喜歡開大人的玩笑。

當別人裝傻問他：「你的襪子是紫色的嗎（其實是紅色的）？」他會咯咯地笑個不停。

現在，他很喜歡無聊、滑稽的語言遊戲。比如：「豆花，花大頭，頭什麼頭，頭大王。」如果你也學他講一次的話，他更是樂不可支。他有時也會故意把詞句顛倒講，比如，把「吃飯」說「飯吃」，「洗手」說「手洗」。

三歲孩子仍然愛玩把戲，他把球頂在頭上走；故意把腳踏車亂騎：跪著走，或故意從高處裝瘋「跌下來」，讓大人們看了，真是又好笑，又擔心受怕。

他也會故意把別人的名字叫錯，編一些荒唐無稽的故事。比如：馬兒撞上了飛機、輪船爬到高山上，有時候更是講得讓你啼笑皆非。

想像的遊戲或故事，對講的人和聽的人都滿有吸引力的。比如他自言自語地說：「該給小魚兒吃點心了。」然後，他騎著腳踏車（有時也是假想的），按按門鈴……。他也會用與幽默有關的字眼，比如：「好笑」、「滑稽」、「笑死人了」。

到三歲半時，他會把好笑的事情講給大人及其他的小朋友聽。事實上，與小朋友分享的機會要比大人多。當然，這些「好笑」的事中仍有許多是荒唐的，比如：故意歪七

扭八地走著、跳著，故意用身體去撞東西、假裝倒著爬高山等。

典型的三歲半的幽默包括：

1. 不協調的舉止：故意粗聲粗氣地說話、故意把車子扭來扭去，或是說：「這塊餅乾好好吃，我要把它吐掉。」
2. 裝瘋賣傻：故意大叫、大跳、衝過來、跳下去。
3. 攻擊性的行為：故意把別人的積木撞倒、推別人、踢別人的玩具等。
4. 講可笑的話、荒謬的故事，或把字的發音故意扭曲，比如：「鄭老師，不得了！你要把我們震倒了！」

編說故事能力

如果你想知道孩子的感受和他在想什麼的話，最好的方法就是仔細聽他說話，花工夫陪他、與他講話，你就不難知道他的小腦袋裏在想什麼。

另一個方法是叫他講故事。當他一板一眼地與你講話時，他是很正經的。但是當他講故事時，可就完全兩回事了。在那些不太真實的故事裏，你可以窺視他的小世界。如

果你想試試這個辦法，三歲是最容易要他講故事的年齡，這當然與他那種平易接受大人要求的成長階段有關。他會很熱心的、即興式地講一則故事，不過，大人也要用點技巧和心思來了解這些故事。

當你聽孩子在講故事的時候，你也許會驚奇地發現，在他平實的外表下，竟然也有暴力的思想。在我們的調查中發現，有三分之二的女孩以及四分之三的男孩，在故事中至少都會提到一件暴力的行為。在女孩子方面，講述內容最多的是「對人物的傷害」，再來才是「意外事件」；而男孩子則是意外事件最多，比如：人跌倒了，或東西被打破了。

大多數三歲的男孩覺得「媽媽是友善、可親、關心別人的人」，但是有的女孩子則覺得，媽媽好像拋棄了她們。所有三歲的孩子都覺得「爸爸很好」。

在編說的故事裏，女孩子都以女孩子為主角，男孩子則以男孩子為主角。而且他們都儘量保護自己，所描述受傷害的對象通常是動物，主題與範圍則往往與「家」有關，「現實」的氣氛還是占很大的分量。

如果我們說三歲的孩子可以自由地編說故事，那麼三歲半的照理來說，應該更棒才對，但事實卻不是如此。三歲半的孩子很不願意講故事，甚至拒絕講。就像他事事都要

與你作對一樣，站也不是，坐也不好。等到他決定講的方式，也選了講的地點，那時候他才會真正願意全神投入地、認真地講。

暴力的情節仍舊出現在三歲半孩子的故事裏。至少有三分之二的女孩和百分之九十的男孩會在故事中，提及傷害或破壞的暴力行為。女孩中的「暴力」情景大多數是對動物的傷害、欺侮弱小和意外事件為多；男孩則以破壞東西和欺侮他人為主。在意外事件的故事中，女孩子大多描述的是跌倒，男孩子則以跌倒和打破東西為主。

「食物」和「吃」也是重要的故事主題，但有關友善、仁慈的方面，卻不常有。我們的一個有趣發現是，小男孩跟小女孩對他的父母的感受，相差滿大的。幾乎所有的女孩子都覺得媽媽慈祥，但是一半的男孩子卻覺得媽媽是處罰人的人，自己是暴力下的犧牲品；女孩子覺得爸爸很友善，能保護他們；男孩子卻覺得爸爸根本不理會他們，而且自己本身也是暴力下的犧牲品。

許多青少年（尤其是男孩子），常常有反抗父親的行為，事實上，早在學前時期，已隱藏了溝通的危機。女孩子不像男孩那麼強烈地感覺到大人對他們的威脅，他們所講的故事，也幾乎是現實事件的反映。

雖然三歲半的孩子在編說的故事中充滿了「暴力」，但是「自我保護」的情形仍然很

普遍。女孩子讓壞事落在動物身上；男孩子讓東西打破，或是讓人物死裏逃生，敗部復活。

一般創造力

一提到創造力，大多數的人都會聯想到作家、藝術家、舞者和音樂家。事實上，每個人都有創造力，只要給予啟發的機會和環境，孩子們的潛力，自然有發揮的可能。三歲正是創造力開始萌芽的年齡。

鼓勵你的孩子編造故事、畫圖、玩手指畫、揉麵糰，無論孩子是否有創造力，他們都很喜歡這些活動。小孩子通常可以即興地使用樂器或簡單的美勞素材，做出成品，但是，他們並不會特別注意到自己正在從事這方面的創作！

除了美勞、音樂及故事外，還有其他許多能啟發孩子創造力的方法。市面上有許多這類的書籍，你不妨參考一下。當然，有時候一些小技巧也可以幫助你成為有創造力的媽媽，比如：講故事時，不把結尾告訴孩子，讓他來做故事的結束；從雜誌上剪下有趣的圖片，讓孩子依自己的觀點，把圖片排成一個故事。這一類的遊戲都可以促進孩子的

想像力和思考力，特別是邏輯概念。

或者，你也可以試著讓孩子想像自己變了樣的形狀，比如：多了兩隻手，他會怎麼樣？擺幾樣東西在他面前，讓他看幾分鐘後，要他閉起眼睛，講一講剛剛看到的東西。有時候則讓他作作肢體表演，比如表演腳踏車、蠟燭燃燒，以及把麵包放到烤麵包機內烤的情形。

讓孩子試著用嗅覺、味覺或觸覺，來認識這個世界，比如準備兩個觸覺袋（家中有各種購物袋，以不透明者為最佳），讓孩子伸手到裏面，摸一摸，再講出摸到的是什麼東西。

種種小花草、養小動物，或是全家去郊遊，都對孩子的創造力有啟發的功能。有時候，最簡單的活動往往也是最具有意義的，比如：畫幾條線在紙上，讓孩子利用這些線條，畫出很多東西來。

孩子不像大人，他的蠢蠢欲動的特質都是創造力的泉源，只要我們有心，他的創造力就不會被埋沒的。

第八章　個別差異

為人父母的，再也沒有比了解自己的孩子更重要的事了。市面上的一些教養書籍中，很少能夠提供家長一套有系統的觀察方法，幫助家長了解孩子的個性。幸好，一些幼教老師、學者專家們都能琅琅上口地講出一些規則或技巧。

蔡司博士（Dr. Stella Chess）在「了解你的孩子（Your Child Is a Person）」這本書中，建議家長從孩子的活動量、規律性、適應度、反應閾、情緒本質的變化、反應的程度、堅持度和注意力分散度，來觀察、判斷你孩子的個性。

從事研究發展的我們，所關心的也不外乎是這些特質。從觀察中我們發現，孩子基本上有幾個重要的差異。嚴格說來，這些差異是因為先天的遺傳因素造成的。而不是後天環境所引起的。

當然，孩子的一些行為仍是有修正的可能，你不必怨天尤人，或全然不管。你越了解孩子先天的限制或先天能力，就越能幫助你調整自己的教養態度和方法。

許多研究人類行為的學者都有一個理想，那就是，讓父母親能充分地了解自己孩子的個性，以便提供適合他的成長環境；同時，也讓父母幫助孩子了解自己特殊的個性，使孩子長大後，對自己的所作所為，有相當的把握和了解。

下面，我們將提到幾個相對的「行為組」。對每一種行為而言，你的孩子也許在正面

的極端，或反面的極端，也可能在這中間的某一點上。

動機與體力

我們知道，飲食、睡眠，或缺乏成功的機會，都會影響孩子做事的意願，但實際上最根本的不同，卻是天生的，不論是三歲或八十三歲的人都一樣。我們常看到一些精力充沛的人充滿活力，不論做了多少事，他們好像都不會累似的。體弱型的孩子就不一樣了，只要一點點活動，就好像會把他累得半死。

「動機強」的孩子不需要多大的鼓勵，他最快樂的時候，就是在工作的時候。相反地，「動機低」的孩子需要極大的鼓勵，他不喜歡新鮮的事兒，看起來也老是懶懶散散的。「動機強」的孩子對什麼事都有興趣；「動機低」的孩子則不喜歡熱鬧，他慢條斯理，做事喜歡慢慢來，一次只做一件事，比如聽音樂時，他坐在那兒，動也不動的。相反地，好動的孩子可以雙管齊下，一面聽音樂，一面堆積木，或穿珠珠。

注意力

有的人，無論做什麼事都會極端地投入，他將注意力限制在一個小小的範圍，排除其他的外圍因素；相反地，有些人卻老被周遭的小事吸引住，反而不注意重要的事。注意力集中的孩子，不易被周遭事情干擾；漫不經心的孩子，就很容易受周圍事情的影響。

雖然到目前為止，有關視覺與注意力之間關係的研究並不多，但是，視力專家已經注意到：「近視的孩子比較容易是注意力集中的孩子，而遠視的孩子比較不能夠集中注意力。」在這裏，我們也許可以調整一下我們的觀點：近視的人，並不是因為他的視力差才注意到眼前的東西，而是因為他生理的結構，原本就是對靠近他的東西特別仔細和貫注。遠視的孩子也可以用這個道理來說明。

了解這種身體器官和個人行為的關係是十分重要的。雖然我們對這兩者之間的關係並不十分地了解，但是，很可能我們的行為與身體的結構之間有很密切的關係，我們的所作所為也許是因為我們每個人生理結構的差異而有所不同。

剛才，我們曾提到「精力充沛型的孩子對事充滿興趣」、「動機不高的孩子只做一件

事都覺得累」，雖然注意力集中的孩子不見得一定是精力充沛型的，但是，專注型的孩子常常可以對一件事保持很久的興趣，而散漫型的孩子卻對事情不很執著，他對事的新鮮感經常像是曇花一現；專注型的孩子在室內可以玩得很快活，而散漫型的孩子大部分愛在戶外活動。

自主性

自主性強的孩子，比較不受外界的干擾，他有自動自發的精神；自主性較弱的孩子則不僅需要環境的刺激，有時也需要別人來引導他、教導他。大家都知道，有些人是理智型的，有些人是衝動型的。心理學家的結論是，自主力強的人，通常是理智型的，而易受環境影響、自主力弱的人，通常都是較情緒化的人。

當然，有些很感性的人，也能控制自己的衝動，這與成熟度有關（大人就要比孩子更能控制自己的情緒）。不過，在孩子當中，有的的確動不動就大喊大叫，十分衝動，容易被激怒，而且也較難被安撫。

適應力

從上面那些因素來看，我們不難發現，有些孩子很能適應環境（甚至是一個多變化的環境），有些孩子適應環境的能力則很低，他們相當地固執，沒有辦法調整自己，反而要求改變環境來配合他們。在孩子三歲時，他要求的，可能是一個不變的生活或學習環境。

這類的孩子需要有一個相當穩定的環境和大人口頭上的肯定，比如：「是的，這是你的小汽車。」「對了！你剛剛溜下滑梯！」「好棒啊！你用積木蓋了一間房子。」相反地，自主性強的孩子，十分獨立，他們只要你的允許，不需要你的肯定，他們在意的是自己的想法。

有兩個以上孩子的媽媽都知道，即使是同一對父母所生養的孩子，他們也都擁有不一樣的個性。有的不吵不鬧；有的卻能弄得你雞犬不寧，三餐飯都沒辦法做。而後者也常有意外事件發生，比如：跌傷、摔跤、打破東西等；前者則似乎比較順利，他們不僅能照顧自己，對事物也格外地小心，不論做什麼事、玩什麼遊戲，都是條理井然、乾乾淨淨的。與那種依賴性大、自主性弱，同時常弄得全身髒兮兮的孩子完全不同。

動作的快慢

動作的快慢也是另外一種天生的個性。有的媽媽看孩子慢吞吞的樣子，就急著要他快一點（或是相反地，要速度快的孩子慢下來），但是，速度快慢是天生的，無法用外力來改變它。有的人以為，速度慢的人做事較謹慎，這是錯誤的觀念。

速度與節奏又有些關聯，有的人一開始慢條斯理的，但是過了一段時間，卻做得又快又好；有的人開始很順利，過了一陣子，卻又慢又沒有效率。

另一個與快慢有關係的是「時段」。我們常常聽人家說：「早起的鳥兒有蟲吃。」不過，我要提醒大家的是，每個人的生理結構不一樣，因此，每個人最有效率的時段也不一樣。甚至在童年這段時間，我們也可以看到不同型態的孩子不同的反應。有的孩子在早上睡眼惺忪的，下午則精力十足；而大部分的孩子在早上這個階段，精神最好。

談到時間，順便提起「前瞻型」和「後顧型」的人。有的人做事情，快速俐落，一件接著一件；有的卻是事事舉棋不定，思前想後、顧慮多，躊躇不前。前瞻型的孩子，如果事先有所準備或提示，甚至警告，就會把事情做得更完整；相反地，給後顧型的孩子事前的警告，只會增加他的壓力，他們是比較適合「走一步，算一步」的類型。

要求完美

還有一種令人頭痛的個性，不僅讓父母著急，也替孩子帶來許多麻煩。我們稱它為「完美主義」者。完美主義者總是要等到自己充分準備了，才敢嘗試一件事，所以，他對新的事情都沒有嘗試的勇氣；相反地，有些人愛冒險，對事情的完美性並不很在意。從這兒，我們可以看出兩種不同的個性，一種是十分地保守，一種是充滿了好奇心。

有一件事很少在教養的書本上提到，但是對父母了解孩子有很大的幫助，那就是——每個孩子都有某些常帶給他困擾的生理或行為的因素，比如：小琦天生就不喜歡吃東西，當他生病，或玩得太累時，他就會十分地不舒服；凱凱本來就不太能自己處理大小便，當他生氣，或挫折感很大時，就會禁不住地尿出來了！

自我認識

現在的幼教學者要比以前更加注意孩子的自我認識，這不只是指「孩子知道自己做的如何」，而是進一步強調他「做事情時的感覺」。

有兩個方法可以很明顯地讓三歲孩子覺得快樂，那就是，「讓他知道你愛他」，以及「提供他成功率高、失敗率低的活動」。如果他不是運動型的孩子，你就不要勉強他去跑、去跳；如果他很害羞、內向，你不要硬要他表現大方、活潑，因為，並不是每一個人都要外向才能討人喜歡；如果他動作慢，就不要常常逼他和別人比賽快慢。

但是，你也能幫助他改善某些行為，只不過，你要特別注意孩子的反應，不要讓他覺得他達不到你的標準，而產生自卑感。孩子會透過你的眼神，來認識他的自我，他是很在意你的看法和批評的，因此，多給他一些鼓勵吧！

排行

有些學者認為，孩子的排行相當影響孩子的個性。大多數的人也覺得，老大的確與老二，或老三的個性不大一樣。有的人把它歸屬於生理上的原因，也有人覺得這是因為父母親對孩子有不同態度的緣故。也就是說，父母親都比較重視老大，對他特別地照顧和疼愛。

費爾博士（Dr. Lucille K. Forer）和圖曼博士（Dr. Walter Toman Briefly）曾

對孩子的出生順序及日後行為的影響做過研究，綜合他們的幾個說法是：

1. 老大通常較有成名的機會，他們能力強、個性強、效率高、責任感重、成就欲望高；他們很在意「做對」事情；他們也愛指揮別人。如果老大是男孩，那就要比女孩更難撫養了！老大通常也都希望控制玩伴，指使別人做事。
2. 老二的個性並不很積極，但適應力強、有耐力、身心放鬆、做事也較有技巧、情緒穩定、成名率比老大低。
3. 老么是最沒安全感的，他個性被動、孩子氣、成就欲望不高、也不願與人爭名奪利。如果事與願違，他不是放棄，就是要求大人的協助。

這兒所提到的都是一般的通論而已，其中也有許多人例外，譬如，也有老二是意志力強的孩子，但大致上說來，男女性別的差異，以及兄弟姊妹的人數，都會影響孩子的個性。

比較注重環境影響的學派認為，一般人在初為人父母時，本身經驗不足，第一個孩子好像是實驗品，到了老二時，才較有經驗。這話聽起來，好像滿有道理的，但是我們再仔細推敲以後，就會發現它不足以解釋為何老大和其他孩子在個性上，有那麼大的區別。

還有另一種說法，也是我們認為比較合理的，那就是母親本人的體質。經過第一次懷孕的經驗後，母親比較能調整和適應生產的狀況，因此，第二胎在懷孕期，就在「已經調整過」的母體裏成長。這也可以說明，為什麼第一胎的孩子，雖然比較聰明，但是在適應方面，卻遠不及老二或老三。

這一學派的說法，把孩子因出生順序之先後而產生個性上的差異，歸屬於生理的原因，而不認為是家長教養態度所導致。

不管是什麼原因，為人父母的仍然喜歡觀察每個孩子個性上的差異。在彼此交換的經驗中，孩子排行的順序好像有它個性上的特徵。

性別

另外一個與個性有極大的關係的重要因素是——性別。許多人覺得，男孩、女孩的不一樣是因為，社會價值使父母在教導孩子時有了偏差。不過，也有人覺得，每個孩子一出生就有不同的行為。從事幼教的老師們都會注意到，男孩與女孩在興趣和行為上，的確有明顯的差別。

一般說來，女孩子要比男孩成熟。許多五歲的女孩子，一進到幼稚園，就能很快地適應學校的生活和活動。但是，男孩子要到五歲半，才有這種能力。

所以，三歲的女孩子就要比同齡的男孩子來得能幹；她們的表現要比男孩子好。他們不僅在成長速度上有差別，就是在興趣上也有相異處。儘管他們都喜歡扮演遊戲（事實上，三歲的小男孩也會像女孩子一樣，穿上圍裙、高跟鞋），但是在角色扮演上，男孩子都扮演爸爸、祖父，或小男生，女孩子則扮演媽媽、奶奶，或小女生。雖然男、女孩子都會去玩洋娃娃，但是女孩還是比男孩花較多的時間。

三歲的男孩子比較喜歡大肌肉的體能活動，像是：攀爬、堆積木、騎腳踏車等等，他們也愛幾個人推來推去地玩。女孩子就不這麼野了，她們比較不會大喊大叫，或幾個人跌成一堆玩。

一般說來，男孩子比較粗野、攻擊性比女孩子強，他們個性強、喜歡支配別人，而且競爭性強。當然，並不是所有的三歲男孩子都很粗線條，有些女孩子攻擊性也很強，她們和男孩子一樣，動作粗野，也愛指使同伴們。當然，男孩中，也有人像女孩般地溫和、柔順。

三歲的男孩子也知道比較粗動作的遊戲（比如：警察捉小偷，或摔柔道）可不是和

女孩們玩的遊戲，洋娃娃比較適合她們。當然，孩子們對性別的認同感是來自他們對父母親的模仿。女孩子大都模仿媽媽的行為，而男孩子則模仿爸爸的舉止動作。所以，這種早期的認同，確實影響了他們的行為。

男孩子和女孩子對書本或故事的偏愛也不大一樣，這些偏愛與社會習慣沒多大的關係，雖然好的書大家都喜歡看，但是男孩子比較喜歡看有關汽車、飛機，以及其他交通工具的書，而女孩子則愛有人物、有情節性的圖畫書。

從孩子自編的故事中，更把性別差異表現得一覽無遺。三歲的女孩子講的都是關於女孩子的故事，男孩子講的則多半是與男孩有關的故事。不管男孩、女孩，他們的故事中都充滿了暴力（男孩子比女孩子的更凶悍）。在三歲這個時候，孩子們都覺得爸爸很慈祥可親，但女孩子則認為媽媽較不那麼友善；到三歲半時，男孩子比較會認為父母親具敵意、不友善。

家長們要特別注意的是，不要把孩子的性別固定在傳統的角色上，也不必太在意什麼活動適合男孩子，什麼活動不適合女孩子。

給父母的提醒

以上我們所提到的這些，都只不過是孩子個性中的一小部分，你孩子的個性表現也許都不在上述的範圍內。我們說過，每個孩子在成長階段都有「好」與「壞」，但是我們無法預知孩子的行為會好到那裏，或壞到那一種程度。

有些孩子，好像老是在「壞」的階段，「好」的時候只是曇花一現。而有的，卻是成長得很順利，很少有不安寧的時候。或許我們可以說，生命之神對這些孩子似乎鍾愛得多了。

其實，我們針對你孩子的特性作分析並不重要，重要的是你能仔細地觀察孩子的行為表現，並設法了解和改善他的特殊行為，或是減低它的危險性。如果你和你的孩子都能正視它的存在，生活也許會變得單純和容易些。

所以，如果你孩子的個性是屬於需要事先的提醒，那麼，你就該讓他事前有個提防；如果他需要的是安定的環境，那你就不要整天帶著他東跑西奔；如果他在下午的時段精力最充沛，那你最好打消在早上要求他做一大堆工作或活動的念頭。

同樣地，針對他的優點，他也可以讓它加強發揮。譬如，如果他是專注型的孩子，

那你最好讓他有充分的時間，仔細地完成一樁事，不要老是催促他；如果他是個比較感情化的孩子，你也許最好用情感來引動他，而不要對他談一大堆道理，因為他可沒興趣聽你的大道理。

總而言之，孩子有幾個基本個性是與生俱來的。一旦你了解了孩子的長處和缺點，你就能截長補短。遺傳和環境的交互影響，對孩子的能力表現是有很大的關係的，你能提供一個最適合他成長的環境，他便有機會發揮潛能。

遠在一九四〇年，阿諾・吉塞爾博士（Dr. Arnold Gesell）就特別強調遺傳和環境的交互關係。他用的文字很長，也很科學化，我們把這些話引出來：

「在評估孩子成長的因素中，不要忘了環境的影響，像：兄弟姊妹、父母、營養、疾病、遭遇和教育，但是，也請別忽視影響孩子成長的首要因素，也就是——先天的條件，因為這些條件是決定孩子對後天環境反應的程度與型態。」

決定孩子個性的因素，實在是內在和外在種種因素的交互作用，所以，在討論任何一個問題時，不能偏重任何一方面。

第九章　真實的故事

故事一：她怎麼這麼不聽話

親愛的醫生：

請你幫幫我，我被我三歲的女兒煩得快發瘋了！她整天不停地講話，爬上爬下，動個不停。一下要這個，一下要那個。大人講話或做事時，她常常去騷擾，一點也不懂得禮貌。

睡覺前更糟糕。她常常藉故要晚一點睡，我一讓步，她就得寸進尺。我該怎麼調教她才好？更糟糕的是，四個月前我又結婚了！她對繼父不理不睬的，真使我難過。

我想你的年紀大約在二十歲左右。如果高中有一門兒童行為入門的科目，那麼你就能了解孩子們的舉止是怎麼樣的，這該多理想！

孩子不是大人的縮影，你不能期望他們的一舉一動像大人一樣，他們好動、愛發問、要求你做許多事，但是卻不在你要他睡覺的時候上床去。

我建議你看看專業機構所出版的書籍，這些能幫助你了解你的孩子。照你所說的，你女兒應該是個正常的三歲孩子。

你自己要多加油，多參考一些教養的書籍，否則孩子和你都會很不快樂的。

故事二：老愛黏著我不放，怎麼辦？

親愛的醫生：

我女兒依蓮的依賴性很大，她很寂寞。伊蓮有一隻小狗，但是她並不喜歡牠，她整天黏著我，跟進跟出的。她也不和鄰居的小朋友玩，真是把我煩死了！

我也嘗試過在上午或下午，專心地陪她玩一個小時，但是她要的是整天整夜。我已經很有耐心了，但是近來我實在吃不消了。

每次我和別的大人講話，她就表現出嫉妒的樣子，有時候她爸爸回家時，在她面前親我，她就氣得半死。因為爸爸是海軍，不是常常在家，所以我真不知該如何才好。

伊蓮到四歲時，應該不會像現在這樣地黏你。不過在四歲以前，你還是有得受的。目前最好的辦法，也許是順著她一點。父母親最好不要在學前孩子的面前親吻，因為他們嫉妒心很強。你先生回來時，最好是對你眨眨眼就好了！

讓爸爸一進門就抱抱她，這樣她就會覺得爸爸注意到她了！既然伊蓮的爸爸很少在家，所以這不是個大問題。

目前最最要緊的是，讓她漸漸地能與你分開一段時間。你可以在她每天最乖的一段時間，請個有愛心、懂得孩子心理的人來照顧她吧！

大多數黏媽媽的孩子，一到戶外都能玩得很好。你也可以試著讓她一個人到院子裏去玩玩，當然一開始時，不要讓她自己一個人玩得太久。

像伊蓮這樣沒有獨立性的孩子，不能接受媽媽以外的人來幫她處理穿衣、上廁所或餵食等日常生活的瑣事，但是其他的時候，她卻滿聽保母的話的。

剛剛開始時，她也許對保母大哭大叫地拒絕，但是慢慢地，她也能接受才對。今年秋天，你不妨讓她去上半天的托兒所，有經驗的老師能引導孩子漸漸地離開你的。

故事三：怎樣面對小暴君？

親愛的醫生：

我的女兒思穎是個小暴君。她整天發號施令，要我做這個、做那個，她處處要人幫她做事，自己卻一點也不動手。我該怎麼辦？聽她指揮？和她理論？讓她？還是把握自己的原則？我真不知道這場意志力的戰爭，誰該是贏家？誰該是輸家？

這不是輸贏的問題，大部分三歲的孩子，是很喜歡指揮別人的。

兩歲半的孩子通常也很專橫，但是他自己不知道；三歲的孩子知道父母親的意願，卻故意要與你過意不去。至於孩子為什麼會這樣，我們也不知道，也許他們較沒有安全感，要想辦法得逞，以便使自己看起來滿有分量的。

我想你可以把握原則，很技巧地讓步給她。比如在遊戲時，她要你做這、做那，你就順著她，因為這沒什麼了不起；但是當你要她做某件事的時候，比如：收拾玩具、刷牙上床，你就要堅持原則。不過，不要讓她覺得你是在指使她，你可以用建議性的口氣說：「來！我們來把玩具收好。」這樣，她不覺得聽你指揮真沒面子，就會願意照著你的意思去做了！

和孩子的戰爭總是免不了的，但是越少越好。在身體構造或意志力上，你當然比思穎強，你要的話，可以每次都把她打倒，但問題是，每次都被你壓倒的孩子，也許從此

會失掉自信心，因此，讓她有表達意願的機會吧！如果你能讓事情輕鬆一點、態度親切一點，苦戰和輸贏都可以避免的。

故事四：愛捉弄妹妹，怎麼辦？

親愛的醫生：

我那三歲的兒子博文，嫉妒心很重。雖然他和妹妹相差將近三歲，但是博文老是捉弄妹妹。

雖然你說過學前的孩子應該儘量和小寶寶分開，但是博文的妹妹現在九個月，正是到處爬行的年紀，我很難把他們兩個人分開。

博文愛和妹妹玩，但是都用捉弄的方式，比如：用毛巾把妹妹的頭蓋起來，惹得妹妹哇哇叫，有時候甚至影響到呼吸。

我整天對博文喊著：「不要去捉弄妹妹！」但是，我怕他用這種方式來取得我的注意，我也擔心，一不小心妹妹會有危險。

不錯，如果你讓孩子們單獨玩，而不去注意他們的話，博文的妹妹就很危險。我要提醒你，千萬不要讓他們獨自兒玩。這當然很費心力和時間，但是絕對是值得做的！

在博文三歲半之前，你最好有一段時間讓他與保母在一起，當然，你也要讓保母注意到寶寶的安全。

把兩個孩子午睡的時間分開。為了保護小寶寶，你非得這樣做不可，不能有一絲的疏忽，一直要到博文長大些，對捉弄寶寶這件事不再感到新奇為止。

很多父母親不能了解孩子對家中新添的小寶寶所表現那種嫉妒（甚至是懷恨）的心理。在孩子的心裏，他們覺得寶寶既沒得到允准，就大大方方地住到家裏來，又要爸爸媽媽花那麼多心血來照顧他，實在很不公平。在這種心態下，你對他吼叫，要他不去碰小寶寶，甚或是罵他，都是沒用的。

除了保護小寶寶之外，你也應該換個角度體會博文的感受，多花一些時間和他在一起，他的嫉妒感會降低一些。你也可以教他怎麼跟妹妹玩，或許這樣，博文捉弄妹妹的衝動會漸漸地消失。

故事五：怎樣告訴他「死亡」之類的事？

親愛的醫生：

三個月前，我那才一個月大的小寶寶去世了，她死在夜裏，我們很快地把她處理了。隔天早上，她姊姊小琪醒來時，曾經問及妹妹和其他東西怎麼都不見了！

醫生告訴我們說，小琪在一兩個星期內就會把這件事忘得一乾二淨。但是我覺得我應該和孩子講清楚，因為她仍舊會問許多問題，而且也假裝小妹妹還存在。她現在在上主日學，也稍微知道上帝和耶穌，她的爺爺、奶奶、外公、外婆都還在，我相信我還是會有對她說明「死亡」的機會的。

小琪的一些朋友，家裏都有弟弟妹妹，小琪從小就一直吵著要妹妹。她外表看起來比她的年紀大而成熟，我常和她談論事情。寶寶出生以後，我並沒有告訴過她寶寶不正常。她看起來很喜歡小妹妹，有時也幫我拿東西，不過在我餵奶時，她就有點兒嫉妒。

我和我先生都希望趕快再生一個，你覺得如何？

你像是一位很勇敢的媽媽，不過，你也要注意到自己的心境，不要只一味地為孩子

著想。至於如何和三歲的孩子解釋死亡的問題，是有些困難。不過，你的孩子聽起來滿成熟的，而且她也上主日學，稍微知道「上帝」，也許她自己已經想通了一點。

如果你要和孩子解釋這件事情的話，愈簡單愈好。你回答她的問題時，也要簡明扼要。至於應該談得多深，用她接著問的問題，就可以作為參考了！你該回答她每一個問題，你也可以繼續進行生下一個孩子的計畫。另一個寶寶的來臨，也許會是最好解決的方法。

至於爺爺奶奶的去世問題，你也不用現在操心，就連四歲的孩子都不見得會懂得「死」的概念，他們頂多會把死亡和悲傷聯想起來而已。你在談這個問題時，不必把情緒帶進談話中。到五歲時，孩子對「死」的觀念，要更深入和正確些，許多孩子已經知道「死亡是一種結束」、「人生是有結束的」、「人人都會死」，他們不喜歡談「死」的事情，無論死的是人或動物。

因此，你要坦白、要平靜、要真實，大部分的三歲孩子只接受他自己能消化的那部分資料。

故事六：老愛咬被單，怎麼辦？

親愛的醫生：

我對我那三歲的兒子，真是感到頭痛。自從他出生以後，他就一直有個怪習慣——咬被單。因為我覺得這也不是什麼值得大驚小怪的事情，所以就沒特別去注意他。直到最近，他已經滿三歲了，我看他還是繼續在咬被單，毫無終止的現象，我就和他討論這件事。有時候，他咬了一陣子，會突然把被單摔開，說他不再咬了，可是臨睡前，又開始咬。

最近，他咬被單的時間縮短了，通常只在他安靜地坐著，或睡覺前，才需要被單。但是，我覺得他根本可以不要被單了，他天天高高興興地上幼稚園，也和小弟弟相處得很好。

我該等他主動停止咬被單呢？還是再試著去勸阻他？

你對孩子的進步，應該覺得很欣慰才對。很明顯地，他已經減少對被單的依賴了。更進步的是，他也接受「咬被單」不是一件有意義的事，而且願意放棄這個行為。依我

們的猜測，再過六個月，他很可能會完全放棄咬被單了。

有些媽媽會在這個時候把孩子的被單剪成兩半，或一小塊，而孩子也不會抗議；有的媽媽也會常常把被單拿去洗，故意說還沒乾，而孩子有時也會忘了被單這件事。你也可以有計畫地讓孩子在四歲前完全脫離對被單的依賴。

你的孩子應該沒什麼問題，當他把被單甩掉，說他不要再「咬被單」時，給他一些讚許和鼓勵吧！

至於孩子為什麼要咬被單、吸吮手指頭，或是其他類似的行為，很少人知道真正的原因。不過，有的孩子是需要依賴外物或某種行為來紓解成長的壓力的。一般說來，如果孩子個性不錯，家裏氣氛祥和，會逐漸減少他對壓力的感受，所以你不必特別操心。

故事七：不肯接受大小便訓練，怎麼辦？

親愛的醫生：

我的孩子已經三歲了，他一點也不肯接受大小便訓練，我們用盡所有的方法——和他講理、誇獎他、請求他、威脅他，甚至打他屁股，他就是不肯合作。最近幾個月，我

就裝成若無其事的樣子，幫他弄尿布。我不再在意，但是我先生一看見就火大，把我和小傑也惹得很生氣。他覺得孩子已經夠大了，應該想辦法讓他上廁所。

小傑是老二，他上面有個四歲的哥哥，下面有個小弟弟，他是個滿可愛的孩子。我們家的氣氛也很和諧，最近為了小傑不肯上廁所這件事，把我和先生弄得很煩。為什麼小傑不肯接受大小便訓練呢？

也許小傑生理上的成熟度不夠，所以不能接受大小便訓練。並不是所有的孩子都能在特定的時間內，完成大小便的訓練，如果照你所說的，小傑其他行為和發展一切都正常的話，他似乎可以上廁所才對。

我們常常懷疑，孩子到三歲還不肯接受大小便訓練的話，大概是想藉這樁事來表達他的反抗力。一個家庭同時有三個學前的孩子，並不是不尋常，但是對小傑來說，或許多了些。他之所以不肯上廁所，也許在表達兩件事：一是，他希望能停留在襁褓時期多一點；第二，他希望多得到你的關照。所以，如果你能找得到幫手的話，不妨給他一個單獨與你相處的機會，帶他出去散散步。

事實上，三歲還不能處理大小便，也不是什麼可怕的事，不過你們夫妻為了這件事

弄得不愉快，那就得想辦法處理了！你先生覺得三歲的孩子應該能接受大小便訓練是沒錯，但是你不想給孩子壓力，也是對的。不過，你們也不要因此而束手無策。試著以對待一歲半孩子的態度來訓練他，比如他午睡醒來時尿布是乾的話，帶他到廁所尿尿。如果他做到了，請溫和地讚許他一下。也可以觀察他一天尿得最少的時段，開始在這時段訓練他上廁所，其他時候，還是讓他穿尿片。給他更多的關懷，慢慢地把握訓練的機會，小傑應該可以自己說他要大小便的。

故事八：不肯坐著好好吃飯，怎麼辦？

親愛的醫生：

目前最讓我頭痛的是我那三歲的兒子凱迪。他吃飯的規矩不好，一大半的時候他是用手拿東西吃。我看到了以後，總是會提醒他，但是我先生就不一樣了，他總是威脅凱迪說，再用手吃就把東西拿走。如果凱迪繼續用手吃，我先生就真的把食物拿開，凱迪便大叫大哭，弄得每餐飯都雞犬不寧。

我不覺得這是一個好方法。孩子做不到你的要求，反而讓吃飯的時間變得很緊張。我該怎麼辦？要一個三歲的孩子坐著好好吃飯，不是太過分了嗎？

你沒錯，要一個三歲的孩子正正經經地坐在餐桌邊吃飯，是不大可能的。當然，有些孩子看起來好像天生就會拿湯匙、筷子似的，不過，一般說來，三歲的孩子能自己吃東西，不需要人餵，已經是很棒了。

我覺得「吃了多少」要比「正正經經地拿筷子吃飯」來得重要。如果到了五歲，他能好好地拿筷子坐著吃，那就更了不起了！有的孩子到了六歲，還做不到呢！

我建議你吃飯時，讓孩子坐在高椅子上吃。更好的方法是，早點讓他先吃（當然，這是要他爸爸同意的）。許多學前孩子的媽媽最感到困擾的，不是孩子的行為問題，而是爸爸不合理的要求。

如果你的先生仍舊固執地要求凱迪使用筷子，好好地吃完一頓飯的話，你最好不要在餐桌上與他理論這件事，你們的爭吵比起無理的要求，更要使孩子難過呢！

故事九：該告訴他是個「養子」嗎？

親愛的醫生：

我們領養的兒子田敏今年四歲，我一直沒有告訴他，他是「養子」這件事情。他年紀這麼小，會懂得「領養」的意義嗎？如果應該告訴他，我該如何開口？

田敏不會小得不懂領養的意思，你應該直截了當地告訴他。「領養」和「性」是父母親最難對孩子啟口討論的事，那是因為父母親本人對這兩件事情的看法，都帶有感情的因素在，所以，雖然明知道應該說，卻又躊躇不定，不敢開口。

你不好意思講「領養」這件事，可能有兩種原因。第一，你私下希望孩子是你親生的，所以不願提起。第二，你怕孩子聽了，心裏會難過。

許多專家都認為，當孩子一問起這件事，你就應該坦白地回答；如果他一直沒問，你也應該在他六歲前，找個機會和他談。如果你真的開不了口，可以參考書上所提的幾個要點，勇敢地面對孩子，簡單扼要地向他說明。

你應該告訴他，雖然你沒有「生」他，但是你選擇「他」做你的孩子，你和你先生都很愛他，這個家有了他，才顯得有生氣、愉快。同時，你也可以跟他說，他的生父母也一樣地喜歡他，不過，基於某些原因，不能給他一個「家」的成長環境。

記著，在談與「性」有關的問題時，不必把所有知道的，以及相關的事全都一併告訴孩子。也別忘了，你的態度和用語同樣重要，你愈平靜，孩子愈有安全感。

所以，要早、要誠、要穩，不必多說。有的人在照相本上寫著：「我們的養子」，或是在介紹孩子給別人時說：「這是我們家的小養女。」這些都不是好的處理方法，有機會告訴他事實，那就夠了！

故事十：害怕玩具小丑，怎麼辦？

親愛的醫生：

我有一件棘手的事情想求助於你。我的兒子今年三歲，在他一歲左右，我們買了一個玩具小丑給他，這個小丑造型很真實，還可以滾來滾去。起先，他有點兒怕，後來它變成他挺喜愛的一個玩具，他總是整天抱出抱進的。

幾天前，我們一起看了一齣有關馬戲團的電視劇，劇裏有人被追殺，雖然這人不是小丑，不過，小丑也在馬戲團裏出現。隔天早上，他對我說：「小丑要害我！」他爸爸對他說：「小丑只是個普通的娃娃，不會傷害你的。」但是今天早上，他又提出相同的焦慮來。

我真想在他面前把小丑玩具燒了！又擔心這樣的舉動太戲劇化。再過幾天，我們要去外婆家度假，你覺得讓他把小丑帶去呢？還是不要這麼做？

你是犯了幾個錯誤。第一，對那麼小的孩子來說，小丑並不是個很理想的玩具。第二，你不該讓他看那麼暴力的電視劇，因為他似乎很敏感，而且對他所看的電視劇有明顯的反應。

千萬不要在他面前燒掉小丑，否則這樣一來，他會對火也有恐懼感。也不要讓他帶小丑去外婆家，你可以改選一個別的，他所喜歡的東西。

既然他對小丑的恐懼感來自馬戲團，過些時候，你可以借幾本有關馬戲團的好書給他看。基本上，我們要防備這些使孩子害怕的東西，但也要提供相關的經驗，讓他克服這種恐懼感。不過，這種事是急不得的，最好慢慢來。

你孩子的恐懼感與其他孩子「怕面具」是一樣的道理。這個年齡的孩子對不熟悉的「人」，是很有戒心的，比如，他對身體殘缺，或不同於自己膚色的人，都覺得可怕。

故事十一：怕黑不肯上床，怎麼辦？

親愛的醫生：

我有三個女兒，他們的年齡分別是四歲半、三歲和三個星期大。我大女兒好像正在「怕黑」的階段，每天晚上，我送老大和老二上床時，他們都要我想辦法不要讓「床飛上天」、不要讓「月亮打破房子」、要「把鱷魚、牛、馬等動物關在門外」。

這是不是孩子成長過程中的正常現象？或是他們經驗了一些可怕的事？我一直很有耐心地引導他們，但是太久了，我也失掉耐心，請你幫忙我，好嗎？

如你所說的，這可能只是一個現象。雖然也有時候可能是發生了些不愉快的事情，對孩子產生了不良的副作用，但也有時候是因為你無意間說了一句話，或做了一件事，具有敏感個性的他們便害怕起來。

這也就是說，一群孩子同樣經驗一件「可怕」的事情，但其中有少部分的人會有「怕晚上」、「怕黑」、「怕上床」的情形。

至於你該如何做，這就得看你孩子的個性了！戲劇手法對有些孩子是很管用的，你可以把「恐龍」從床上踢下來，把「鱷魚」趕出去；你可以假扮神仙驅鬼怪，對月亮念咒文，叫它永遠掛在天上。你還可以給孩子一具手電筒，或是在他房間裝個床頭燈，告訴他說：「這兒亮亮的，壞東西不敢進來。」既然孩子所害怕的東西是幻想的，這種戲劇方法也常能使他們安定下來。

對另外一些孩子來說，「寫實」作風卻比較有效果。所以，你讓她們蹲下來看看床底下，看看櫃子裏、抽屜裏，有沒有躲東西，這也能讓她們安下心來。別忘了，還得把「你的注意力」添加進去，多給他們一點時間和關懷，它能使這些小技巧更容易起效用呢！

也可以找一些有關的圖畫書來和孩子一起看；或是讓她們抱著玩偶兔子或娃娃等她們所喜愛的伴兒一起睡，多了一些「眼睛」，幫她們看顧四周，她們也會比較有安全感。

你還要繼續地觀察，看看她們所害怕的東西是經常改變的，還是都是同一種東西。如果她們所恐懼的是變來變去的東西，那你就不必太擔心，但是如果是同一件事一直跟

著她們，讓她們耿耿於懷的話，那你就得小心了，要設法請教專家。

故事十二：有撞頭習慣，怎麼辦？

親愛的醫生：

我真不懂為什麼你們專家對我們父母所最關心的事，常常輕描淡寫，一筆帶過，然後說：「沒有關係！」。自從我那三歲的兒子長白齒以來，他就開始用腦去撞床頭板。坐的時候，也要用腦袋去撞椅背。剛開始時，他在床上搖來搖去，我和我先生覺得他很可愛，就在床腳上套上輪子，使床更容易搖動些。但是到後來，他變本加厲地用頭來撞床板，聲音大得讓我們沒辦法睡覺，所以只好把他換到大一點的床去睡。

他撞小床的力量很大，有時候甚至會使彈簧板掉下來。現在，怎樣讓他不會掉下床來，傷到自己，以及如何改正他撞頭的習慣，是我最急迫的大問題。請你告訴我，我該怎麼辦？

你的問題並不特殊，可惜我們沒有一針見效的方法。不少孩子有撞頭的習慣，有的

父母會用勸的，有的則用東西引誘他，這些或許都行得通，但是，有時候反而更糟糕。所以，你的醫生的反應，並不表示他對你的問題沒興趣，而是，和我們一樣，他也不知道怎麼辦才好。

許多家長使用的方法跟你用輪子套在床腳上，使床搖得更舒適的方法完全不同，他們是把床固定起來。孩子得不到搖晃的喜悅感，也就不搖了！

可惜你已經把他換到大床上了！否則你可以說：「等你長大些，不搖床了，媽媽才讓你睡像大人一樣的床喔！」我們的方法是，以緩和、不直接的方式來對待他吧！就像對待其他緊張的行為一樣，讓他過得更安定、更滿足。同時，你也設法讓他在白天多發洩一些精力。比如，讓他上托兒所，可以增加他生活的範圍和新的樂趣。

通常這些愛撞頭，或愛搖頭的小傢伙都滿有音樂感的，他們像是典禮中的司儀，有極為固定的行為方式，所以很難改變他的行為。也正因為三歲是個緊張的成長期，所以要他們在這個時候改變習慣，是比較不容易的。

我們還沒聽過這類型的孩子因為搖撞而傷了自己的。你不妨想想辦法，使他可以不用搖晃來使自己入睡。比如，在床上講故事給他聽、和他談談白天的活動、做一做親子體操，或按摩一下他的肌肉，讓他的緊張情緒有紓解的機會，也許可以改變他搖晃的舉

動。

想想看，他是否太早上床了！多待一些時候，也許有助於他發洩精力的。

許多醫生發現，搖晃和撞頭型的孩子通常多是好動兒。有的人認為這種行為是因為飲食不當所引起的，如果嚴格地控制孩子飲食的習慣和食品，可以幫助孩子驅逐這些「過動」的行為，你不妨參考一下。

故事十三：改不掉用左手的習慣，怎麼辦？

親愛的醫生：

我的女兒桂伶即將滿三歲，依我判斷，她將來會是個左撇子。她事事都用左手，拿彩色筆、扣鈕子、吃飯，還有掃地。我有時會叫她改用右手，她也會試一試，但是馬上又換回左手。當我再度提醒她時，她就說：「不！用這隻手比較好！」我很不喜歡干擾她，但是這個社會，每件事都是為使用右手的人設計的，我是否應該設法糾正她呢？

我聽說左撇子的人所看的字都顛倒，比如「10」看成「01」，這是真的嗎？

你千萬不要糾正桂伶使用左手的習慣。從你女兒的習慣，我們很明顯地看出，她的確比較習慣使用左手。

在孩子出生後的幾個月，就可以看出他是慣用左手或是右手。這個偏向在成長的過程中，會逐漸地明顯化。不錯，我們的社會基本上是一個右手者的社會，但是許多專家都認為，孩子應當順其自然地使用他的「慣用手」，改變他的左手習慣雖然不至於引起腦筋混亂，但卻不是明智之舉。

我不認為用左手的孩子看東西時，會左右顛倒。孩子在小的時候，由於視覺判斷力尚未成熟，常有這種左右顛倒的現象，這不僅發生在用左手的孩子身上，使用右手的孩子也同樣會有這樣毛病。

我們希望你能了解，桂伶慣用左手並不是什麼反常的事，而且，她這個習慣看起來是根深蒂固，無論你現在如何費心矯正，她將來還是會用左手的。

故事十四：不愛自己的性別，怎麼辦？

親愛的醫生：

我那三歲半的兒子小辰，都快把我急死了！他常常把褲子脫掉，然後，玩弄他的生殖器。

小辰的爸爸和我們分居，家裏也沒有別的男孩。我曾經告訴過他，男孩子都有「ㄐ一ㄐ一」，但是每次我幫四歲半的姊姊和他一起洗澡時，他都做出極端愚笨可笑的舉動來。

他常常說：「我是好孩子，我不要這個。」我則告訴他：「男孩子沒有ㄐ一ㄐ一的話，就不是男孩子了！」

我很擔心小辰的心理發展，請你幫助我！

你最好先別緊張。既然每次和姊姊洗澡，他都要說些傻話，那麼你就別讓他們在一起洗澡了！

這個年紀的男孩子，對自己的性別、角色，是比較緊張和過敏的。壓力的流向似乎是往下走，所以他會摸弄自己的生殖器。我記得有一位媽媽曾經這樣說過她那三歲半的兒子：「他整天握著自己的生殖器，就好像那兒有隻把手似的。」

另外還有一位媽媽也告訴我們說，有時全家開車出去玩，孩子尿急時，她就叫孩子

忍耐一下，孩子就拚命地往那兒壓。

以前，大家都不太喜歡談這方面的問題，現在，卻又太關心，談了太多，反而於事無補。

孩子在三歲到三歲半這段期間，對自己的身體構造是滿注意的。有的男孩子會試著坐在馬桶尿尿，而女孩子卻說她要站著小便；小男生擔心自己的ㄐㄧㄐㄧ會斷掉，而小女生也擔心自己比哥哥少了一小截。

總而言之，對自己生殖器的好奇，是成長過程中自然的現象，你只要態度開放，視若無睹就可以了！

故事十五：需要讓他上托兒所嗎？

親愛的醫生：

我的姊姊把三歲的小外甥送到托兒所去上學，她說每個孩子都該上托兒所。你覺得這是正確的嗎？我自己的女兒沒有上托兒所，我不覺得托兒所對每個孩子都有好處。

根據我們所知，雖然孩子們剛上托兒所時，都有一點不習慣，但一般說來，參加團體對孩子是有好處的。當然，也有些例外，你的女兒也許是其中之一。

有些孩子很黏媽媽，老師就是想盡了辦法，也無法把他和媽媽分開。在這種情形之下，也許不用這麼早上學。有的孩子則是很容易感染疾病，剛剛病癒了，一上學，又生病了，這種也不太適合上托兒所。

少數的孩子一提起學校就像是談虎色變，無論媽媽如何威脅利誘，都勸不動，上學變成一件苦差事，這時，也不用花那麼多心血要孩子上學！

當然，有極少數的孩子在家裏就玩得很好，家裏有玩伴、玩具，家附近也有公園、遊戲設施，媽媽會覺得孩子不必再上托兒所了！

但是，上托兒所對三、四歲的孩子來說，的確是一件很有意義的事，像是：

- 讓孩子學習團體生活，學習輪流、分享，遵守團體的規矩和禮儀。
- 提供一般家庭所沒有的體能設施、玩具、樂器和美勞素材。
- 增廣幼兒在音樂、藝術和語言活動的範圍。
- 讓孩子暫時離開家和父母，有他自己成長的另一個空間。
- 如果家中有小弟妹煩著他，學校正好提供給他一個比較「清心」的環境。

●讓孩子有機會與父母親以外的大人建立關係。
●提供家長一個參考、諮詢的資源。

故事十六：不可以教三歲小孩讀書、認字嗎？

親愛的醫生：

你在最近的演講中提到，母親們常常想像自己的孩子能做出許多驚人的事！你相信嗎？我那三歲的兒子的確認得很多字，而且會自己看書呢！

連我的小兒科醫生都嚇了一跳，覺得宣宣滿有天分的，什麼字拿到他面前，他都可以認出來！你說我該怎麼辦？

我很願意帶宣宣到你的辦公室讓你看看。現代的父母，不懂得教養之道，把孩子當作動物，所以孩子一點成就也沒有。而我，相反的，從孩子一出生就開始教導他，所以他會有今天的成就。許多幼稚園老師都說宣宣的閱讀能力幾乎是小學二年級的程度，你怎麼說？我一點也沒誇張啊！所以，你認為三歲的孩子不能教他認字，是大錯特錯的。

你說你的孩子可以認許多字，那麼就繼續拿書給他吧！如果他的閱讀能力有二年級的程度，那麼就讓他閱讀二年級的書籍。現在看起來，好像宣宣很棒，但是等到他長大一點，你會發現，他的程度不會像現在一樣，高別人那麼多！

這個母親在一年後又回了一封很謙虛的信：

一年前我曾經很炫耀地寫了一封信給你，你的回信好像打了我一記耳光，使我把孩子認字的問題仔細地想了很久。不錯，我有一個聰明的孩子。他對我的教導，也很有反應，我十分地欣慰。也就在這時候，我寫信給你。你的回信，給了我的虛榮心一個很大的打擊。

現在，我自己得了一個結論，那就是：不要急切地希望孩子有所表現。我的孩子時常給我快樂和安慰，我想任何聰明的孩子，只要給予鼓勵和時間，他都會有令人滿意的表現。我想，孩子只要時機成熟，有人指導，都能學會認字、看書的。那時候，我的確忽略了這一點！

這個媽媽在態度上的改變，給我們很大的鼓勵，我想，我們不會再為她的孩子擔心了！

故事十七：什麼是「溺愛」？

親愛的醫生：

我們聽過很多人提到孩子被寵壞的事，可是我和我先生都不太明白，什麼樣叫做「溺愛」，請你給我們一個定義好嗎？

許多人以為，只要你稍微讓步，使孩子好過些，就叫做「溺愛」。也有人覺得，讚美孩子、表達你對孩子的愛意，就會把孩子寵壞。事實上，只要做得有分寸，上述那些行為都是很值得去做的。家長如果害怕寵壞孩子，其實就不會有溺愛孩子的危險。

許多溺愛孩子的家長，自己並不知道他把孩子寵壞了，而且從來也不曾對自己的所作所為加以檢討，因為他們本身就是很沒有原則的人。

那麼，什麼叫做「溺愛」呢？

簡單地說，只要孩子大吼大叫地反抗你的時候，你便讓步，或是改變你的主張或意見的，就叫「溺愛」。比如你說：「不准再吃糖果了！」或是：「該上床睡覺了！」孩子就開始哭鬧不停，於是你就改變態度說：「好吧！好吧！要吃就再拿一個吧！」孩子漸

漸地學到，只要哭鬧，你就會讓步，他就能得逞。久而久之，不論是對是錯，他都用這種方法來逼你讓步，這樣的孩子就是被寵壞的孩子。

當然，有時候父母親也不可能一成不變地堅持孩子得服從他的指示或命令。在特殊的場合或有特別的原因時，家長還是可以斟酌情形，有彈性地調整對孩子的要求，這就不算是溺愛了！

第十章 結論

在三歲到四歲之間，孩子們有許多成長的經驗，他的行為和表現有好，也有壞。他從一個有安全感、友善、溫順、講理、合作的時期，走到一段極度不安的階段。

一般說來，三歲的孩子是滿快樂的，也很受人喜愛；三歲半的孩子卻是處處與自己過意不去，他的生活充滿了危機、不安和壓力。

幸好，一到四歲，情形就大大改善了！經過了大風大浪，他又回到平靜的日子，生活中會再度充構了歡笑、熱情和信心，他迫不及待地全神投注於各種活動。

家長們！四歲是值得你們等待的年齡呢！

《附錄》適合三歲小孩的玩具

- 球
- 籃子、盒子
- 沙包、豆袋
- 印章
- 積木
- 安全剪刀
- 蹺蹺板
- 圖畫書
- 跳床
- 洋娃娃
- 娃娃屋、家具
- 畫架
- 彩色筆
- 串珠
- 洞洞板
- 硬紙板
- 攀爬玩具
- 拼圖遊戲
- 彩色紙
- 裝扮衣物
- 大型蠟筆
- 碗、盤
- 唱片或錄音帶
- 木馬
- 繩子
- 沙、沙具、沙箱
- 空心積木
- 小掃把和抹布
- 小汽車
- 大珠子
- 玩具火車
- 樂器
- 大小套杯
- 滑梯
- 小飛機、輪船
- 扮家家酒的器具
- 腳踏車
- 拖車
- 木箱

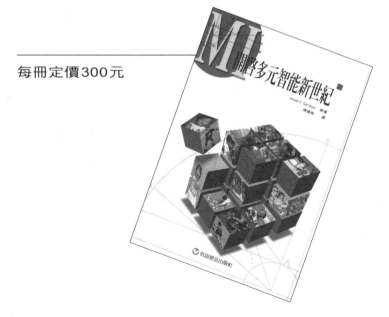

國家圖書館出版品預行編目資料

你的三歲孩子：亦敵亦友的年齡／Louise Bates Ames. Frances L. Ilg原著：游淑芬譯. --二版. --臺北市：信誼.1998〔民87〕
面：　　公分
譯自：Your three-year-old: friend or enemy
ISBN 957-642-477-1（平裝）

1.兒童心理學 2.學前教育

532.12　　87009054

你的三歲孩子——亦敵亦友的年齡

原　　著／YOUR THREE-YEAR-OLD
TERRIBLE OR TENDER
原 著 者／Louise Bates Ames
Frances L.Ilg
譯　　者／游淑芬
發 行 人／何壽川
總 編 輯／黃美湄
主　　編／呂素美
文字編輯／翁秀梅、翁秀琴
發 行 者／信誼基金出版社
台北市重慶南路二段75號.電話（02）23965303
定　　價／新台幣180元
總 代 理／上誼文化實業股份有限公司
台北市重慶南路二段75號11樓.電話（02）23913384
劃撥帳號／1042436-1 上誼文化實業股份有限公司
印　　刷／中華彩色印刷公司
台北縣新店市寶橋路229號
出版日期／1998年7月二版一刷　2006年1月二版九刷

ISBN 957-642-477-1（平裝）